Andrzej Tajchert

Koleje wąskotorowe Zwierzyniec – Biłgoraj

Piątek Trzynastego
Wydawnictwo

Korekta merytoryczna:
Wojciech Dembiński,
Zbigniew Tucholski,
Michał Zajfert

Korekta językowa:
Karolina Kozera

Projekt okładki:
Dariusz Romanowicz

Skład:
Paweł Szewczyk

ISBN 978-83-7415-040-8

PIĄTEK TRZYNASTEGO Wydawnictwo
Michał Koliński i Michał Wiercioch
90-345 Łódź, ul. Księży Młyn 14
tel./faks (0-42) 632 78 61, 630 71 17, tel. 0-602 34 98 02(06)
infolinia: 0-604 600 800 (codziennie 8-22, także sms), skype: piatek13; gg. 4147954, 4146841
www.piatek13.com.pl; e-mail: kot@piatek13.com.pl

Łódź	rok:	2008 2007	ostatnia
Wydanie I	rzut:	9 8 7 6 5 4 3 2 1	liczba

Druk i oprawa:
Drukarnia na Księżym Młynie
Printed in Poland

Spis treści

Wstęp

Książka ta poświęcona jest nieistniejącym i nieco zapomnianym kolejom wąskotorowym Lubelszczyzny (zbudowanym przez Ordynację Zamojską oraz Armię Rosyjską w czasie I wojny światowej) i ich następczyni: austriackiej kolejce zaopatrzeniowej, eksploatowanej przez PKP aż do roku 1971.

Tak jak i w innych miejscach kraju, przez długie lata z Biłgoraja w wielki świat wyjeżdżało się małymi wagonami ciągniętymi przez równie małą lokomotywę. Przez dziesięciolecia mieszkańcom okolic towarzyszył widok dymiącego parowozu pokonującego zakosy koło Obroczy, wspinającego się mozolnie na wzgórza nieopodal Panasówki. Dźwięk parowozowej gwizdawki odbijał się echem od lasów Puszczy Solskiej i roztoczańskich wzgórz, niósł się wzdłuż rzeki Wieprz, gdy pociąg przejeżdżał przez drewniany most. Wąskotorówki wpisały się w historię lokalną – nie tylko w wymiarze sentymentalnym, ale także ekonomicznym, komunikacyjnym i społecznym. Pełniły ważną rolę gospodarczą – przewoziły drewno, kamień wapienny, materiały budowlane i zaopatrzenie dla Biłgoraja oraz dla zakładów przemysłowych Ordynacji Zamojskiej, nie wspominając o zapewnieniu pracy dla wielu dziesiątek, a nawet setek osób. Świadectwa ich istnienia są coraz rzadsze. Ostatni żyjący pracownicy są już w podeszłym wieku, ślady w terenie powoli zaciera czas. Nie najlepiej jest także z archiwaliami – o ile dokumenty Ordynacji Zamojskiej i austriackie z czasów I wojny światowej są bogate i zabezpieczone w archiwach, o tyle dokumentacja PKP jest szczątkowa i bardzo rozproszona, w zasadzie istnieje jedynie w zbiorach prywatnych. Nie wszystkie sprawy udało mi się wyjaśnić – historia ta ma swoje „białe karty" i tajemnice. Czekają one nadal na swoich odkrywców.

Opisywane linie powiązane były historycznie i geograficznie. Gdyby nie istniała „Kolejka Podjazdowa Ordynacji Zamojskiej", rosyjska kolej polowa z czasów I wojny światowej zapewne miałaby inny przebieg i nie dotarłaby do Biłgoraja. Bez linii rosyjskiej nie powstałaby prawdopodobnie kolejka austriacka. Z drugiej jednak strony linie te istniały na tym samym obszarze, ale w różnym czasie, miały też różny rozstaw torów. Linie Ordynacji i ro-

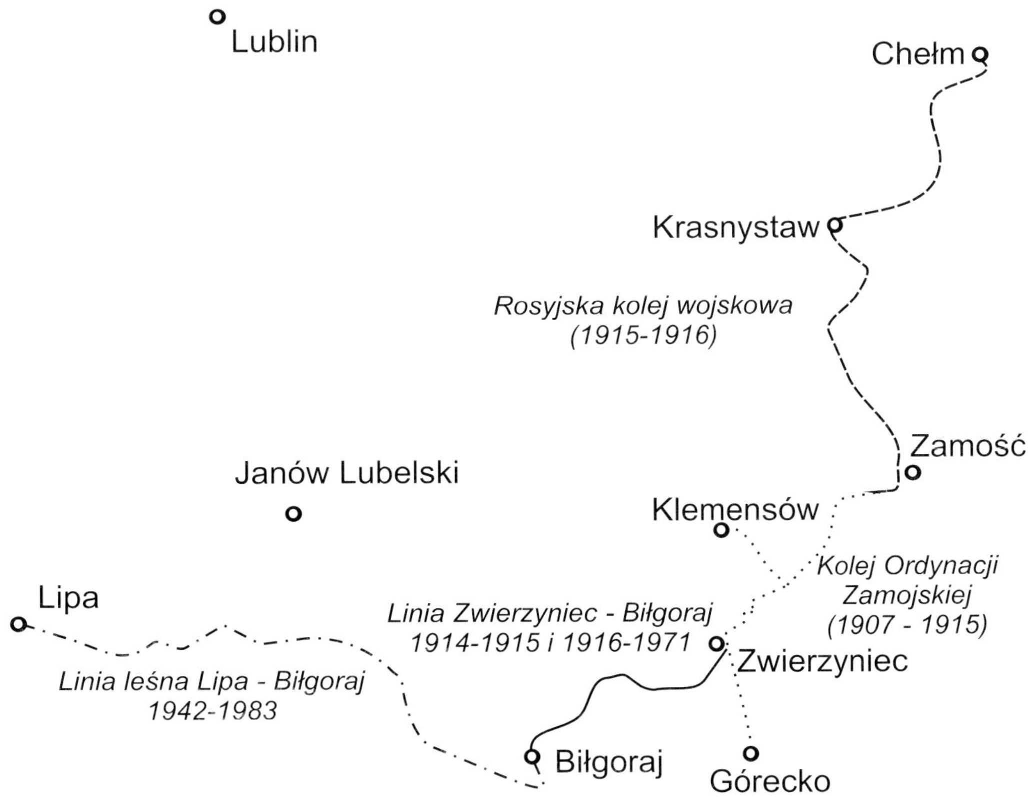

Szkicowe zestawienie położenia omawianych linii wąskotorowych

syjska były niejako wstępem do właściwej historii, dlatego też opisałem je w pierwszym rozdziale. Osobny akapit poświęciłem też połączeniu z kolejką leśną z Lipy.

Poza tymi wyjątkami, układ rozdziałów odzwierciedla różne aspekty funkcjonowania wąskotorówki Zwierzyniec – Biłgoraj, a więc:

- chronologicznie opisaną historię,
- zgodny z przebiegiem w terenie opis linii i plany poszczególnych stacji, mijanek i bocznic,
- zestawienia i opisy taboru podzielone na poszczególne okresy historyczne pracy kolei,
- zagadnienia ruchowe zawierające dane o przewozach, a także o znanych wypadkach.

Mam nadzieję, że taki podział w sposób logiczny porządkuje materiał faktograficzny oraz ułatwia odnalezienie poszukiwanej informacji.

Do powstania tej książki w sposób szczególny przyczynili się Koledzy: Maciej Kucharski i Zbigniew Tucholski, którzy opisali historię linii leśnej Lipa – Biłgoraj. Podczas tych prac pojawił się pomysł opisania kolejki PKP Biłgoraj – Zwierzyniec. Z czasem materiałów przybywało i zdecydowałem się na jego niezależne opublikowanie. Maciej wykonał też rysunki stacji.

Książki tej nie byłoby, gdyby nie życzliwość i pomoc wielu osób. Przede wszystkim są to: Carlheinz Becker, Leszek Bylina, Wojciech Dembiński, Zenon Koryszko, Helmut Pochadt, Bogdan Pokropiński, Dieter Stanfel, Dorota Skakuj, Piotr Staszewski, Tadeusz Suchorolski, Jan Szponder, Andrzej Tittenbrun, Mariusz Wesołowski, Mirosław Wesołowski, Wiesław Wojasiewicz oraz Michał Zajfert. Ponadto korzystałem z bogatych zasobów Archiwum Państwowego w Lublinie, Zamościu, Kriegsarchiv w Wiedniu i Wojenno-Historycznego Archiwum w Moskwie. Dziękuję też serdecznie Dyrekcji i Pracownikom: Muzeum Ziemi Biłgorajskiej i Roztoczańskiego Parku Narodowego w Zwierzyńcu.

Za szczególną wyrozumiałość, cierpliwość i za wsparcie dziękuję mojej Żonie

Autor

Linia ordynacka i rosyjska kolejka polowa

Do czasu I wojny światowej ziemia zamojska i okolice Biłgoraja pozbawione były publicznych linii kolejowych. Pomiędzy szerokotorową Drogą Żelazną Nadwiślańską Lublin – Chełm – Brześć na północy, a leżącą już za granicą – w austriackiej Galicji – koleją normalnotorową ze Lwowa przez Rawę Ruską do Bełżca, istniały jedynie złe drogi gruntowe. Ich stan nie pozwalał na przejazd wozami czy samochodami, szczególnie w czasie wiosennych roztopów oraz jesiennych słot. Było to w części konsekwencją polityki Cesarstwa Rosyjskiego wobec prowincji zachodnich, a w części wynikiem biedy i braku przemysłu w tym regionie. Miasta, takie jak Biłgoraj, oddzielone od uczęszczanych traktów lasami Puszczy Solskiej i Roztocza często odcięte były od świata.

Z lektury licznych wniosków, z którymi występowano do Rządu Gubernialnego Lubelskiego, a zachowanych w Archiwum Państwowym w Lublinie, widać wyraźnie, że polityka Petersburga nie dopuszczała do budowy linii kolejowych w pobliżu granicy lub o znacznej długości i mających ponadlokalne znaczenie. Jeśli już nawet zgodę uzyskano, to jedynie na budowę łatwych do zniszczenia mostów drewnianych oraz zastrzegano przejęcie kolei przez armię w przypadku wojny.

Pod koniec XIX i na początku XX wieku rozmaite firmy i osoby prywatne kilkakrotnie występowały do władz carskich o pozwolenia na budowę kolei prywatnych w rejonie Biłgoraja i Zwierzyńca. Starania te spotykały się niezmiennie z odmową. I tak na przykład Ordynacja Zamojska złożyła 21 listopada 1896 roku wniosek w sprawie linii wąskotorowej, mającej połączyć stację Trawniki Kolei Nadwiślańskiej łukiem przez Turobin, Szczebrzeszyn, Zamość do Tomaszowa i dalej do granicy austriackiej wówczas Galicji. Ordynacja chciała zapewnić łatwy transport budowanej właśnie cukrowni Klemensów koło Szczebrzeszyna oraz wywóz drewna z rozległych lasów ordynackich z klucza zwierzynieckiego. Oczywiście dla władz carskich linia taka była z wojskowego punktu widzenia nie do zaakceptowania.

Co ciekawe, w 1903 roku o pozwolenie na konną kolej wąskotorową w okolicach Biłgoraja wystąpiło Towarzystwo Akcyjne Artur Koppel z Warszawy. Była to filia niemieckiej firmy A. Koppel, później przekształconej w spółkę Orenstein & Koppel. Był to jeden z największych producentów taboru wąskotorowego w Europie, zajmował się też budową linii. Planowana trasa miała wieść od Krzeszowa nad Sanem (w pobliżu ówczesnej granicy z Austrią) na wschód do Aleksandrowa przez Puszczę Solską nieco na południe od Biłgoraja. I tym razem władze wojskowe wniosek odrzuciły.

Gdy 5 lutego 1907 r. Ordynacja ponowiła wniosek, zrezygnowano z ambitnych planów i okrojono plan do odcinków z cukrowni Klemensów do Płoskich i Zwierzyńca. Pomimo to uzyskanie pozwolenia na budowę i eks-

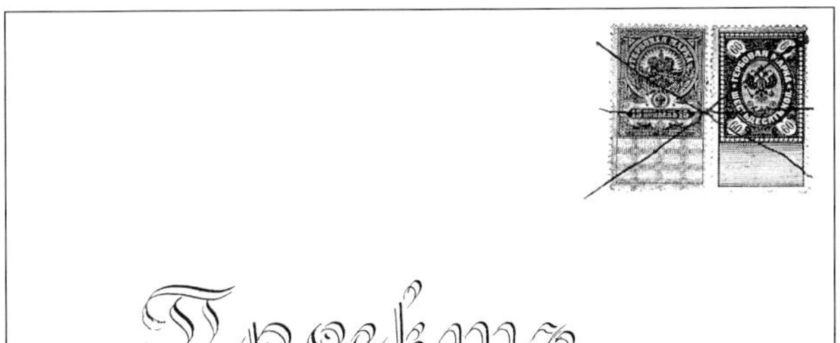
Проектъ
узкоколейной железной дороги
Замойской Ординации
Типы мостовъ

Strona tytułowa dokumentacji projektowej mostów złożonej przez Ordynację w Rządzie Gubernialnym Lubelskim podczas występowania o pozwolenie na budowę. Ze zbiorów APL ploatację było pewnym problemem. W oparciu o wydane 14.04.1887 r. „Положение о подъездных путях” (carski ukaz określający warunki budowy kolei wąskotorowych) władze gubernialne nie zgodziły się na proponowany pierwotnie przez Ordynację tor o szerokości 1000 mm. Z kolei władze wojskowe (sztab armii w Warszawie) odmówił zgody na użycie trakcji parowej. Zmieniły to dopiero starania hrabiego Zamojskiego pod koniec czerwca 1907 r. Przyjęto jednak tor o typowej rosyjskiej szerokości – 750 mm. Warto tu nadmienić, że pomijając obawy polityczno-wojskowe administracji carskiej, koleje wąskotorowe były wówczas w Europie popularnym sposobem zapewnienia taniej komunikacji lokalnej. Koszta budowy były znacznie niższe niż linii normalnotorowych – 1435 mm (w Rosji szerokotorowych – 1520 mm). Zalety te były znaczące dla linii budowanych w trudnym terenie oraz gdy planowane przewozy były niewielkie lub sezonowe. Mniejsza zdolność przewozowa i konieczność przeładunków na stacjach stycznych były w tym kontekście wadami do zaakceptowania.

Dzięki swym usilnym staraniom od 1907 roku Ordynacja Zamojska budowała kolej gospodarczą o szerokości toru 750 mm z cukrowni Klemensów koło Szczebrzeszyna do Płoskich pod Zamościem. Oficjalnie nosiła ona nazwę: „Kolejka Podjazdowa Ordynacji Zamojskiej”. „Studia” i budowę prowadził inżynier A. Łobodziński. Kolejką kierował na co dzień Zarządzający W. Cękalski, a nadzór sprawował Plenipotent Karol Czarnowski.

Pierwszy odcinek Cukrownia-Płoskie, długości 20 km, ukończono 2.11.1907 r. Trzy lata później, w roku 1910, od leśniczówki „Szlengiertówka” (obecnie na terenie Roztoczańskiego Parku Narodowego) wybudowano odgałęzienie przez Obrocz do tartaku w Zwierzyńcu, długości 15 km. Następnie w 1912 r. dobudowano kolejny odcinek – ze Zwierzyńca na południe do Górecka (12 km). Łączna długość linii wyniosła 44 wiorsty, czyli około 47 km. Powodem rozbudowy linii na południe była przede wszystkim potrzeba pozyskiwania opału dla cukrowni Klemensów, opalanej wówczas drewnem. Największe pochylenie wynosiło 20‰ przy najmniejszym promieniu łuków 75 metrów. Dopuszczalna prędkość maksymalna wynosiła 20 wiorst na godzinę (22 km/h).

Najkrótsza droga z cukrowni do Zwierzyńca wiodła doliną Wieprza. Takie położenie toru wymagałoby jednak wywłaszczenia wielu właścicieli. Ordynacja wolała poprowadzić trasę na własnych gruntach i wykorzystać fragment już zbudowanego odcinka. Na północ od Zwierzyńca oznaczało to prace w trudnym, pagórkowatym terenie. Konieczne było wykonanie licznych wykopów, a na północ od mostu na Obroczy zbudowano nawet zakosy. W celu pokonania wzniesień

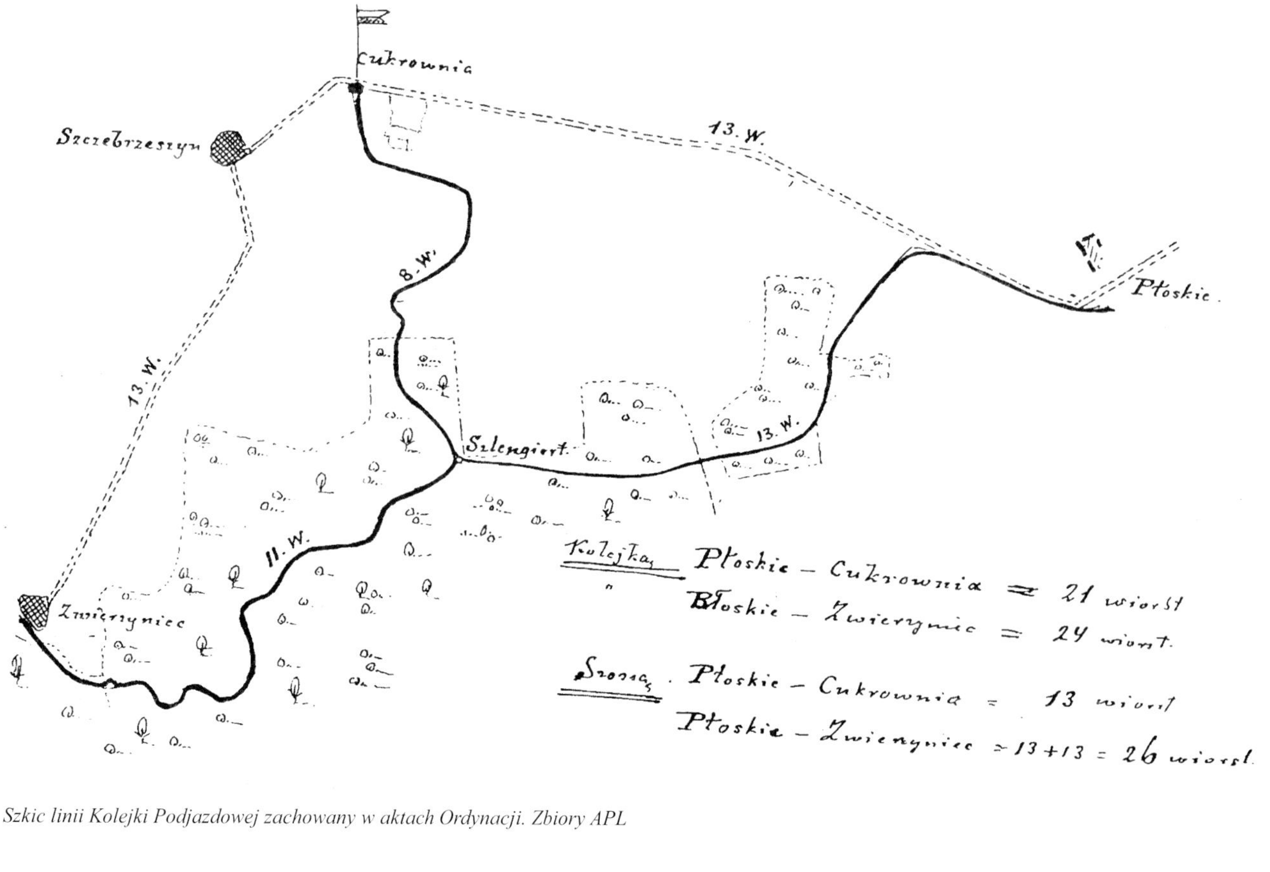

Szkic linii Kolejki Podjazdowej zachowany w aktach Ordynacji. Zbiory APL

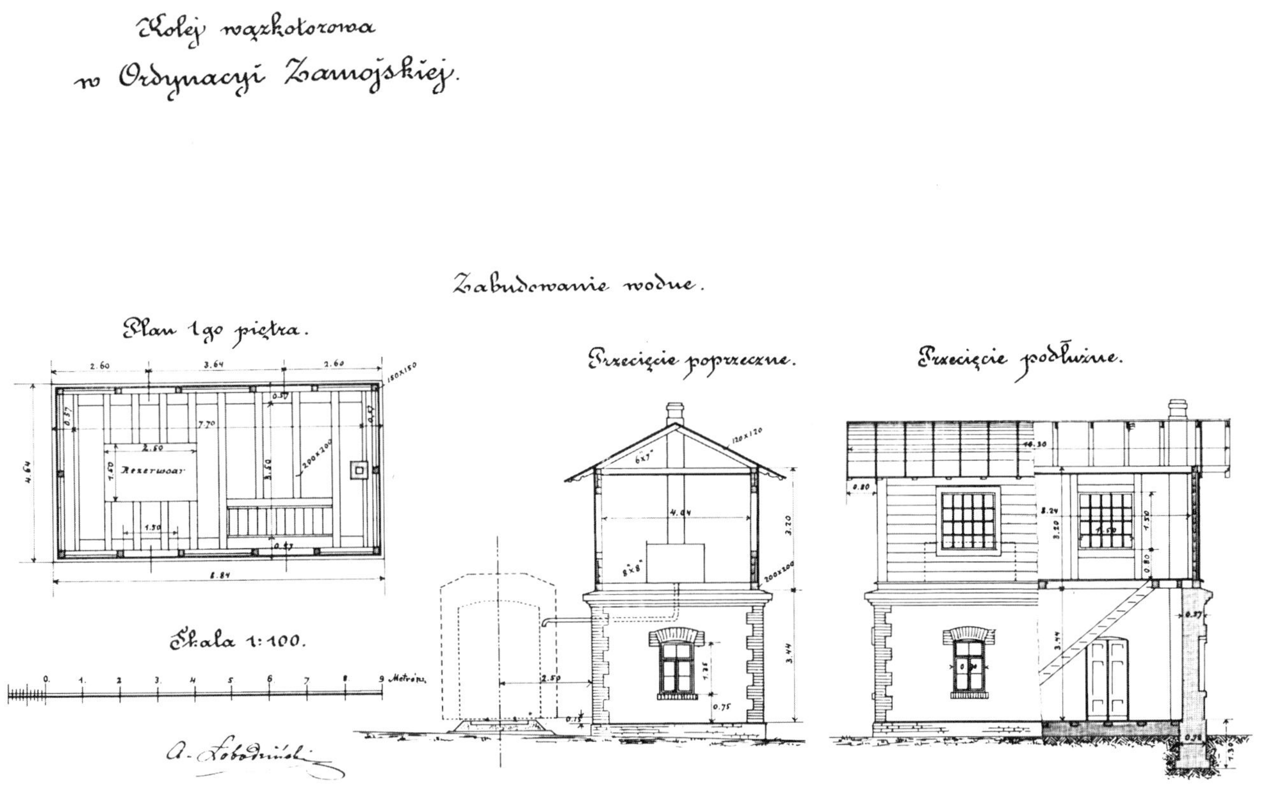

Projekt „wodowni" w miejscowości Płoskie, 1907 r. Ze zbiorów APL

Zakosy (oznaczone cyframi 1 i 2) na wzgórzach w okolicy Obroczy zaznaczone na mapie rosyjskiej z początku XX w.

Pocztówka z roku 1910 pokazuje głęboki przekop na północ od Obroczy. Ze zbiorów L.Byliny

pociąg zmieniał kierunek jazdy, a parowóz objeżdżał skład. Z tego powodu zakosy te nazywano „wekslami" (z niem. *wechseln* – zmieniać). Był to jeden z nielicznych przykładów takiego rozwiązania w Polsce. Do dzisiaj uważny obserwator odnajdzie je z łatwością na mapach Roztoczańskiego Parku Narodowego. Świetnie zachowane w terenie wykopy i nasypy sprawiają wrażenie jakby jeszcze niedawno jechał nimi pociąg i jedynie porastające je wiekowe drzewa uświadamiają, że było to 100 lat temu. Koszt robót ziemnych na odcinku Szlengiertówka – Zwierzyniec wyniósł aż 30 000 rubli, co porównać można z kosztem całego taboru kolejki – około 80 000 rubli. Łączny koszt budowy wszystkich linii wyniósł 318 300 rubli. Wydana wówczas pocztówka pokazuje parowóz Krauss w skalistym wykopie na Kamiennej Górze, przywodzącym na myśl górskie tereny, a nie Roztocze. Także obecnie miejsce to jest stromym wąwozem, choć oczywiście nie tak bardzo jak przed wiekiem.

Podczas rozbudowy w roku 1911 w Obroczy powstał trójkąt – oprócz nowej linii do Górecka tory prowadziły też do placu tartacznego w Zwierzyńcu. Z kolei budowa li-

Zdjęcie nasypów kolejki ordynackiej w okolicach „weksli" wykonane przez autora w roku 2005

Pociąg zbliża się do mostu na Wieprzu, jadąc od Szlengiertówki do Zwierzyńca. Zbiory Regionalnego Ośrodka Studiów i Ochrony Środowiska Kulturowego w Lublinie

nii do Górecka, pomimo płaskiego terenu, wymagała wielu prac ziemnych (sypanie nasypu na bagnach) – 2 800 sążni sześciennych, czyli około 14 400 m^3, co wymagało 4 200 dniówek. Prace te planowano wykonać w okresie od 15 kwietnia do 15 czerwca 1912 r., z czego wynika, że zatrudniano przeciętnie 70 osób. Warto zauważyć, że w wyniku wyżej opisanej polityki carskiej linia ta nie miała połączenia z żadną inną koleją. Tabor i towary wysyłane i przyjmowane z sieci kolei państwowych transportowano końmi z Rejowca (gdzie była baza i ekspedycja Ordynacji) do Płoskich.

Do większych budowli inżynieryjnych należał most długości 225 sążni (ok. 480 m) o 75 przęsłach na rozlewiskach niedaleko cukrowni oraz drugi na Wieprzu we wsi Obrocz

Odświętnie ubrani pasażerowie przed przystrojonym gałęziami pociągiem Kolejki Podjazdowej, składającym się z parowozu „Mańtus", oraz węglarek przystosowanych do przewozu ludzi. Być może zdjęcie wykonano z okazji otwarcia któregoś z odcinków Kolejki. Ze zbiorów RPN Zwierzyniec

nieopodal Zwierzyńca. Ponadto na południe od Szlengiertówki znajdował się most nad głębokim leśnym jarem.

Most na rzeczce Szum na linii do Górecka zbudowano w listopadzie 1912 r. Kolejny most znajdował się na strumieniu Krupiec przed wjazdem na stację Górecko, gdzie do dzisiaj widoczne są nasypy, a w nurcie resztki drewnianych pali (nasyp przecina w lesie drogę Górecko Stare – Majdan Kasztelański, ślady po moście widoczne są ok. 30 m na północ od drogi).

Jak już wspomniano, wszystkie mosty, zgodnie z wojskowymi wytycznymi, były drewniane. Także drewniana była „remiza parowozowa" zbudowana na terenie cukrowni. Początkowo planowano wznieść budynek murowany, ale zrezygnowano z tego z powodów finansowych. W Płoskich zbudowano budynek „wodowni" z pompą ręczną, a na terenie cukrowni kolejka korzystała z wodociągu fabrycznego. Na innych stacjach wodociągów nie było, parowozy pobierały wodę na linii z rzeczek za pomocą „specyalnych inżektorów", czyli pulsometrów. W sprawie napraw oddajmy głos samemu W. Cękalskiemu: *„reperacya taboru wykonuje się warsztatach Cukrowni Klemensów.* [...]. *Tylko częściowo reperacya odbywa się w Cukrowni; roboty trudniejsze i dostawa części zapasowych oddawane są innym fabrykom*".

Kolejka służyła dowozowi surowców i towarów na potrzeby konkretnych zakładów Ordynacji, nie zaś transportowi publicznemu. Wożono materiały takie, jak: kamień wapienny i drewno do cukrowni, kamień do budowy dróg, piasek, drzewo do tartaku i przetarte z niego deski. Z Płoskich do cukrowni transportowano buraki z pobliskich plantacji. Ważono je na wagach wagonowych zlokalizowanych w Płoskich i w samej cukrowni. Linia do Górecka ułatwiała też wywóz kamienia wapiennego pochodzącego z „wapniarek" w Bukownicy, wsi położonej kilka kilometrów dalej na zachód. Do kolejki dowożono je wozami. Przewozy były sezonowe – przed kampanią cukrowniczą transportowano drewno i kamień wapienny, a jesienią buraki, niemniej ruch prowadzono w ciągu całego roku. Prawie połowę ładunków stanowiło drewno opałowe dla cukrowni. Nieznana jest skala przewozów towarowych wykonywanych dla innych klientów. Zachowało się bardzo niewiele odnośnych dokumentów i są to dane wyrywkowe. Wiemy, że w czerwcu 1913 roku za sumę 345 rubli dla kupca Szymona Lejby Ajzensztajna przewieziono drewno z Górecka do Płoskich. Dostępne dane o przewozach zebrano w tabeli 1.

W roku eksploatacyjnym 1912/13 przewieziono ogółem około 47 500 ton towarów i wykonano pracę 1 258 377 nettotonokilometrów.

Okazjonalnie wagonem służbowym, a także i odkrytymi towarowymi wożono pasażerów. Kilkakrotnie były to wycieczki młodzieży szkolnej, pracowników na przedstawienie teatralne w cukrowni oraz zaproszonych gości Plenipotenta. I tak na przykład Plenipotent wydał zgodę na przejazd kolejką grupy młodzieży z Męskiego Gimnazjum z Zamościa.

Roczne koszty eksploatacyjne wyniosły w roku 1912 ogółem 39 300 rubli, z czego jedną czwartą stanowiły wynagrodzenia administracji i stałych pracowników (wówczas dzienna stawka robotnika z własnym wozem konnym wynosiła około 1 Rb). Ponieważ kolejka nie była samodzielnym przedsiębiorstwem i nie prowadzono dla niej rachunku zysku i strat, nie wiemy, czy i jakie zyski przynosiła. W oparciu o dokumenty Ordynacji zaryzykować można tezę, że było to przedsięwzięcie zyskowne i niezbędne dla rozwoju zakładów w Zwierzyńcu i Klemensowie.

Mimo remontów i staranności załogi dość często dochodziło do wykolejeń. Zanotowano też kilka poważniejszych wypadków. 6 lutego 1914 r. jeden z parowozów spadł z mostu przy cukrowni do wody na skutek pęknięcia przegniłej belki. 4 stycznia 1915 r. po kołami wagonów z burakami zginął na terenie cukrowni Klemensów pracownik kolejki – brekowy, czyli hamulcowy Kartaczyński – z powodu własnej nieuwagi podczas manewrów przy spławach buraczanych.

Rok	Miesiąc	Liczba pociągów	Liczba wagonów	Przewozy miesięczne [t]	Praca [tonokm]	Przeważający rodzaj ładunków
1912	VII	115	430	3 597	75 710	drewno z Obroczy do cukrowni
1912	X	157	982	7 265	154 289	buraki z Płoskich do cukrowni
1913	I	71	452	3 158	68 423	buraki z Płoskich do cukrowni
1913	III	79	350	2 881	76 712	drewno z Obroczy do cukrowni
1913	IV	80	345	3 207	98 282	drewno z Górecka do cukrowni
1913	V	79	291	2 696	84 806	drewno z Górecka do cukrowni
1914	VII-VIII	79	313	1 271	33 952	kamień wap. z Górecka do cukr.
1915	I – III	201	781	1 623	46 445	buraki z Płoskich do cukrowni

Tabela 1. Wielkość przewozów kolei Ordynackiej (dane z dokumentów APL)

Loc. no. 4715. „Mańtus"

Voie de 750 mm.

Echelle de 1 : 20.

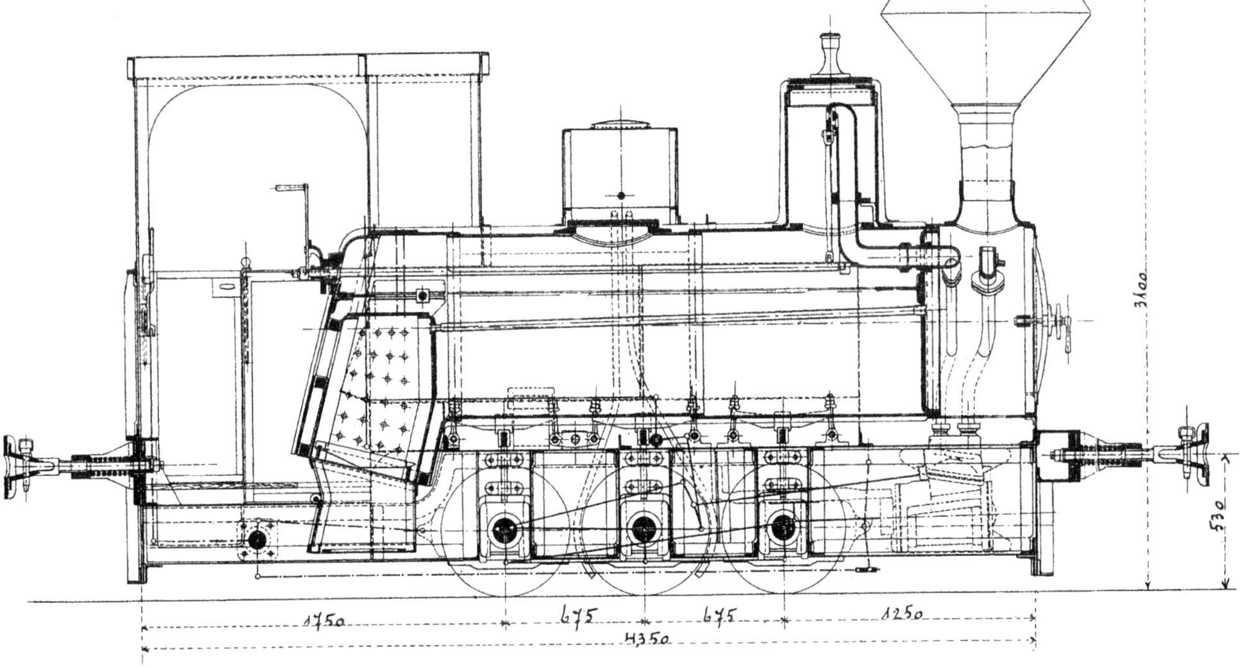

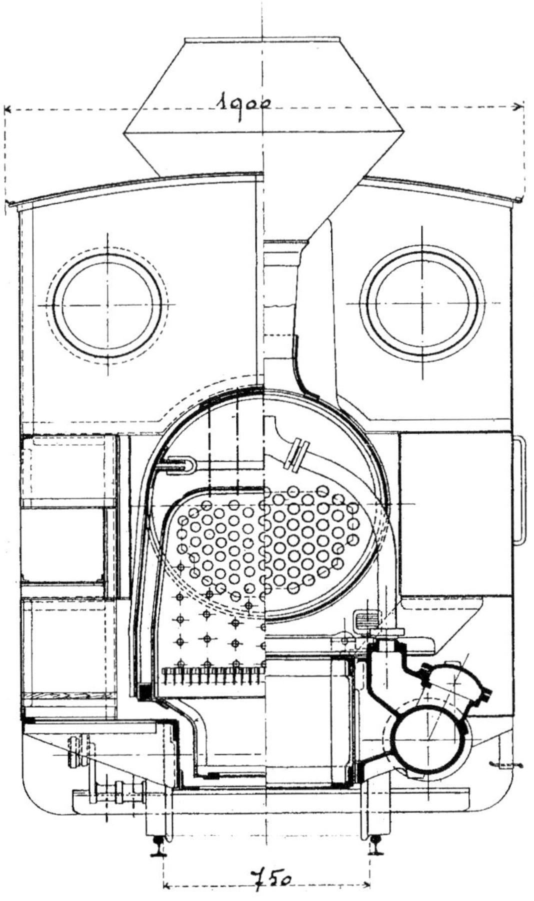

Ohne unsere Genehmigung darf diese Zeichnung weder copirt, noch vervielfältigt, noch dritten Personen oder Koncurrenzfirmen zugänglich gemacht werden.
(§ 43 des Gesetzes vom 11. Juni 1870.)

Locomotivfabrik Krauss & Comp.
Actien-Gesellschaft, München u. Linz a/D.

Diamètre des cylindres	230	mm
Course des pistons	300	„
Diamètre des roues	620	„
Ecartement des essieux	1350	„
Timbre de la chaudière	12	kgr
Surface de chauffe	25,814	m□
Surface de grille	0,43	„
Volume des caisses à eau	1110	lit
Volume des soutes à charbon	580	„
Poids de la machine en service	11900	kgr
Effort de traction 60%	1850	,

Munich, le 21 Février 1902.

Parowóz Krauss 4715 „Mańtus" – rysunek ze zbiorów APL

Na marginesie warto zauważyć, że wagony hamowano wówczas ręcznie, w składzie pociągu zawsze była pewna liczba wagonów z hamulcem i miejscami dla hamulcowych.

Tabor zakupiono z niemieckiej firmy Krauss z Monachium, materiały zaś (szyny, śruby) z warszawskiego przedstawicielstwa firmy Artur Koppel oraz używany z różnych firm (m.in. B. Borman i A. Łubiński, Warszawa). Tor budowano z szyn o wadze 11 kg/m oraz 14,8 kg/m, przy czym szyn lżejszych było 18 wiorst, a cięższych – 26. W Szlengiertówce, Obroczy i Górecku zbudowano domy dla dróżników.

Parowozów kolejka miała cztery. Pierwszy – nieznanego pochodzenia „konstrukcji niemieckiej" (dwuosiowy, waga 9 t, moc 45 KM) – był odkupiony razem z 43 wagonami dwuosiowymi z kolejki w Postójnie koło Klewania na Podolu jeszcze wiosną 1907 r. Oznaczono go numerem N1. W jednym z dokumentów Ordynacji wymieniono jego numer: 461, co być może wskazuje na jego pochodzenie z fabryki O&K, gdyż parowóz o tym numerze fabrycznym odpowiada „naszemu" układem osi. Jest to jednak nie udokumentowane przypuszczenie. Z powodu małej mocy używany był przede wszystkim do przetoków w cukrowni. Oprócz niego na linii pracowały trzy parowozy firmy Krauss z Monachium:

N2 – odkupiony od Władysława Rawity Kosińskiego z Suchedniowa trzyosiowy tendrzak z roku 1902 (numer fabryczny 4715, moc 60KM, waga 12 t) nosił nieco tajemniczą nazwę „MAŃTUS", której jednak w dokumentach Ordynacji nie używano,

N3 – czteroosiowy o numerze fabrycznym 5853 z roku 1907,o mocy 80 KM i wadze 16,5 t,

N4 – trzyosiowy o numerze fabrycznym 6260 z roku 1910, o mocy 70KM i wadze 13,5 t. Zgodnie z nazwą herbu rodu Zamoyskich nazwano go „JELITA".

Parowozy N3 i N4 kupione zostały bezpośrednio od producenta.

Parowozy opalane były drewnem z lasów Ordynacji, w pewnych okresach także węglem. Mimo to, jak się wydaje, nie były one specjalnie dostosowywane do opalania drewnem.

Kolejka była w posiadaniu jednego „prowizorycznego" wagonu osobowego własnej produkcji, prawdopodobnie o ramie drewnianej. W 1911 r. wysłano zapytanie ofertowe do firmy Wł. Gostyński i Ska z Warszawy w sprawie

Fabryczne zdjęcie parowozu N4 (Krauss Monachium, nr fabryczny 6260). Ze zbiorów APL

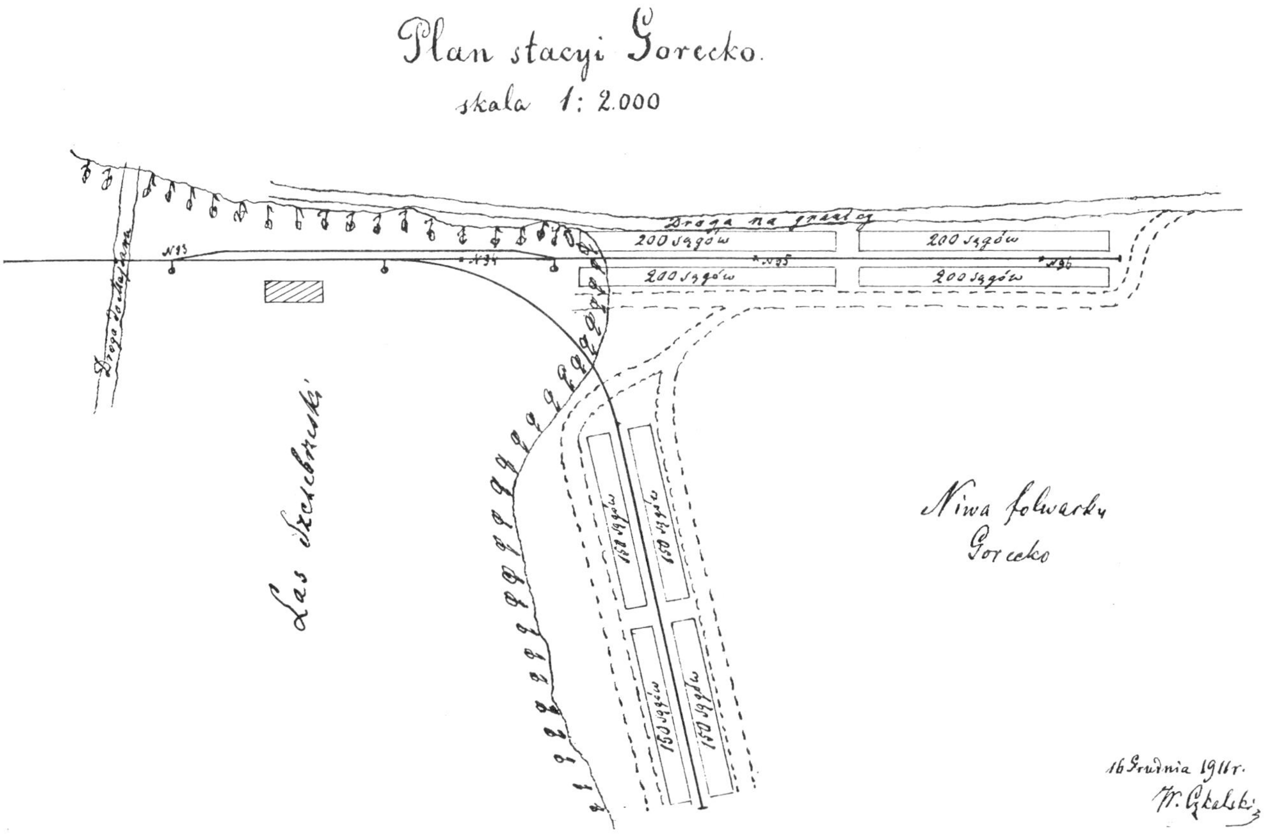

Projekt schematu torów w Górecku autorstwa W.Cękalskiego. Ze zbiorów APL

zakupu wagonu osobowego według projektu Zarządu Kolejki *„na podobieństwo wagonów na warszawskich kolejach podjazdowych"*. Cena 15 550 rubli okazała się jednak zbyt wysoka i pozostano przy dotychczasowej prowizorce.

W 1912 roku eksploatowano 9 dwuosiowych platform z odejmowanymi burtami ładowności 250 pudów (4,1 t) konstrukcji drewnianej, 40 podobnych platform czteroosiowych ładowności 500 pudów (8,2 t) o ramie żelaznej (ze względu na wózki nazywanych na kolejce „pullmanowskimi"), ponadto wykorzystywano 4 pary wózków kłonicowych (*„truków fabrykacji A. Koppel"*) i 16 dwuosiowych koleb o pojemności 1,5 metra sześciennego. Naprawy taboru przeprowadzano we własnym zakresie w warsztatach cukrowni. W celu zabezpieczenia prowadzenia ruchu cała kolejka wyposażona była w specjalnie zbudowane linie telefoniczne, na budowę których uzyskać trzeba było zezwolenie administracji carskiej. Ordynacja planowała dalsze przedłużenie linii do Bukownicy, uzyskano nawet na to zgodę Lubelskiego Rządu Gubernialnego, jednak wojna przeszkodziła tym zamiarom. W 1912 r. prowadzono też studia nad poprowadzeniem linii do Florianki (folwark na południowy wschód od Zwierzyńca, obecnie hodowla konika polskiego Roztoczańskiego Parku Narodowego).

W roku 1914 wybuchła I wojna światowa. Już w okresie sierpień-październik 1914 r. na potrzeby armii rosyjskiej zbudowano polową linię wąskotorową o prześwicie 750 mm z Chełma przez Wierzchowiny i Siennicę. Krasnystaw ominięto od strony wschodniej, następnie przez wieś Wierzba zbliżono się do Zamościa od północy do wysokości wsi Sitaniec, i dalej do Płoskich, gdzie połączono ją z kolejką Ordynacji. Zbudował i eksploatował ją 3. Batalion Kolejowy Armii Rosyjskiej (3-ий Желъзнодорожный Баталион). Planowano także jej wydłużenie na południe od Górecka. Budowa tej linii była związana z austriacką ofensywą z sierpnia 1914 r., w wyniku której Austriacy przejściowo zdobyli Biłgoraj oraz Zwierzyniec, a nawet Zamość. W okresie od około 14 sierpnia do 7 września kolejka Ordynacka znalazła się na terenach tymczasowo zajętych przez Austriaków. Brak jednak informacji z tego okresu, nie wiadomo, czy była ona wykorzystywana do celów wojskowych i czy most na Wieprzu w czasie silnych walk w tym rejonie nie uległ zniszczeniu. We wrześniu kontrofensywa rosyjska odrzuciła Austriaków na południowy zachód na prawie rok. W tej sytuacji brak linii transportowych zemścił się przede wszystkim na Rosjanach. Dlatego postanowiono pilnie to naprawić. Zgodnie z „Przeglądem działalności 3. Batalionu Kolejowego" budowę „*polowej kolei żelaznej z trakcją parową z miasta Chełma do Galicji*" przeprowadzano siłami Batalionu na rozkaz szefa Frontu Południowo-Zachodniego Armii Rosyjskiej generał-majora I.W. Pawskiego. Plan zakładał poprowadzenie linii do Oleszyc, leżącej przy linii kolejowej w austriackiej Galicji. Batalion przybył do Chełma z centralnej bazy w Baranowiczach 26.08.1914 r. w składzie 26 oficerów, 4 czynowników (urzędników) i 970 szeregowych i podoficerów. Prace przy budowie rozpoczęły się 27.08.1914 r. Dowódca Batalionu, podpułkownik A.I. Żukowski-Wołyński rozdzielił dostępne zasoby w następujący sposób:

- dla prowadzenia prac zaopatrzeniowych sformowano specjalny 130-osobowy oddział,
- część 2. i cała 4 rota (kompania) skierowane zostały do budowy bocznicy głównej linii szerokotorowych Kolei Nadwiślańskich (czasowo zamknięto nawet linię główną),
- 1. i 3. rota zajmowały się pracami ziemnymi pod przyszłą kolejkę,
- główny oddział, składający się z żołnierzy ze wszystkich rot, prowadzić miał prace rozpoznawcze i przygotowawcze dla budowniczych – przygotowywać obozy i infrastrukturę (prace ziemne oraz mosty),
- oddział telegraficzny przygotowywał budowę linii telegraficznej wzdłuż przyszłej kolejki oraz połączenia z siecią na Kolejach Nadwiślańskich w Chełmie.

Przy bocznicy szerokotorowej powstawała rampa przeładunkowa oraz skromne zaplecze dla wagonów i parowozów.

Z powodu trudnych warunków gruntowych (gliniaste margle zamieniające się po każdym deszczu w grząskie błoto) w rozkazie nr 2 nakazano nie zdejmować wierzchniej darni, o ile tylko profil linii na to pozwala, oraz umacniać nasypy chrustem, darnią i materiałem leśnym. Naczelnikowi „partii rozpoznawczej" polecono unikać większych prac ziemnych, w szczególności nasypów, ale także łuków o małych promieniach i nachyleń podłużnych trasy większych od 20-25‰. Po rozpoczęciu eksploatacji kolejki do największych opóźnień w przewozie dochodziło właśnie w miejscach, gdzie nie udało się spełnić powyższych zaleceń.

Układanie linii telefonicznej następowało w miarę prowadzonych prac przy torowisku: każdego dnia doprowadzano ją do czoła prac oraz zapewniano komunikację z oddziałami rozpoznawczymi. Wobec dużego zakresu prac już wkrótce dotkliwie dał się odczuć brak rąk do pracy. Administracja gubernialna, mimo carskich ukazów o odpłatnych pracach obowiązkowych, nie dostarczała pracowników na czas, a ludność cywilną Chełma ewakuowano. Dlatego najmowano ludzi z okolicznych wsi. 5 września 1914 r. przybyło jako wsparcie sześciuset żołnierzy Kijowskiego Batalionu Zapasowego Piechoty. Według słów ppłk Żukowskiego „*specjalistów wśród nich było mało, poza tym przydzielono ich bez kuchni ani innego wyposażenia, co powodowało trudności w ich utrzymaniu w okresie początkowym*". Do tego w pierwszych dniach września pogorszyła się pogoda: nastały chłody i silne opady deszczu. Ludzie mokli w czasie pracy, a mieszkając w namiotach, nie mieli się jak wysuszyć. Konieczna były budowa drewnianych baraków z piecami. Zła pogoda nie pozwalała prowadzić dalszej budowy, a nawet doprowadzała kilkakrotnie do przerwy w ruchu kolejki (15-16 i 27-28 września). Na naciski dowództwa, aby szybciej prowadzić prace, ppłk Żukowski odpowiadał, że w takich warunkach potrzeba wiele staranności i nakładu prac jak na kolei szerokotorowej „*... i na >urra< nie można jej zbudować*".

29 września kolej dociera do Krasnegostawu. Dalsza trasa prowadziła przez łatwiejszy teren, ponadto zdecydowano wytyczyć ją równolegle do szosy. Zbudowany odcinek włączono do eksploatacji 1 października 1914 r. Na stacji Krasnystaw zbudowano zaplecze dla parowozów. Rozkład jazdy przewidywał 10 par pociągów dziennie, prędkość wynosiła 10 wiorst na godzinę (ok. 11 km/h). Występowały braki paliwa oraz trudności w nabieraniu wody. Ochroną linii zajmowali się żołnierze samego batalionu oraz miejscowa ludność.

Na linii nie było żadnych wagonów sanitarnych do przewozu rannych. Dlatego przebudowywano własnymi siłami wagony odkryte: konstrukcje słupków podwyższano i obijano brezentem, podłogę wyściełano wojłokiem i słomą, wstawiano proste piecyki – kozy. Wojsko pilnie potrzebowało przewozić duże ilości towarów i amunicji w okolice Biłgoraja, a z powrotem wywozić rannych i chorych żołnierzy. Szczególnie duże transporty rannych napłynęły po walkach nad rzeką San – 300 do 850 osób dziennie. Tylko w dniach 10-28 października 1914 r. kolejka Krasnystaw - Chełm przewiozła bez problemów 7 150 rannych, za co batalion dostał wiele oficjalnych podziękowań. Jednocześnie z Chełma wysyłano transporty zaopatrzeniowe z bronią dla wojsk 21. Korpusu Armii. Dziennie przewożono od 8 do 12 tysięcy pudów towarów (131-196 ton). Na potrzeby składowania i przeładunku w Krasnymstawie zbudowano magazyn intendentury. Z Krasnegostawu towary przewożono samochodami ciężarowymi 7. i 8. roty samochodowej oraz dwoma transportami konnymi do stacji Płoskie, na kolejkę Ordynacką.

Stacja rosyjskiej kolei wojskowej w Krasnymstawie. Ze zbiorów Muzeum Regionalnego w Krasnymstawie

Według dokumentów rosyjskich kolejkę z Płoskich do Zwierzyńca Ordynacja przekazała do użycia 1 października 1914 r. Trzeciemu Batalionowi Kolejowemu. Według archiwum Ordynacji chodziło o wspólne jej wykorzystanie, a praca kolejki dla wojska zaczęła się już we wrześniu 1914 r. Korzystano jedynie z taboru ordynackiego (tu źródła rosyjskie wspominają o dwu parowozach i 25 wagonikach, reszta pozostała najpewniej w gestii Ordynacji). W celu eksploatacji tego odcinka z Batalionu wydzielono oddział 40 ludzi z dwoma oficerami.

Równolegle trwały prace na stacji Chełm – wybudowano drugi tor główny, parowozownię i warsztaty wagonowe, dwa baraki dla załogi i magazyn na materiały kolejowe. Oprócz stacji Chełm urządzenia do wodowania parowozów zbudowano: na moście w km 8, przy rozjeździe nr 1 (tu był zbiornik wodny z pompą); dalej w km 20 w miejscowości Wierzchowiny (zbudowano tu specjalną bocznicę do wodowania o długości 1 km, na końcu której był zbiornik z pompą), w km 30, gdzie wykopano studnię, oraz w Krasnymstawie (bocznica do wodowni z pompą).

Prace budowlane mostów wyprzedzały zawsze układanie linii, przy tym należy zauważyć, że dużych mostów nie budowano. Zbudowane na klatkach z podkładów po wiosennej wysokiej wodzie w 1915 r. uległy uszkodzeniu i część z nich trzeba było zamienić na trwalsze.

Jak już wspomniano, od Krasnegostawu budowa linii przyspieszyła, jako że grunt był twardszy, a trasę wytyczono wzdłuż szosy (na długości około 9 km). Za wsią Izbica kolej okrążała wzgórza na odcinku ok. 1,5 km i dochodziła do miejscowości Wierzba. Tu zaprojektowano dwie bocznice. Następnie trasa kolejki znów biegła wzdłuż szosy w stronę Zamościa. Profil podłużny linii był na tym odcinku dość łagodny. Od Zamościa linię wytyczono do Płoskich w celu połączenia z kolejką ordynacką, a następnie od stacji kolejki ordynackiej w Zwierzyńcu w stronę Biłgoraja. W ciągu 12 dni oddział 40 ludzi wykonał prace przy nasypach i wyrębie lasu na odcinku długości 10 km, wybudował dwa mosty i ułożył 4 km toru. Nie mamy dokładnych informacji o przebiegu linii rosyjskiej, ale według późniejszych szkiców austriackich odgałęziała się ona od linii Zwierzyniec – Górecko około 4 km na południe od Zwierzyńca. Na wspomnianych szkicach linii rosyjskiej zaznaczono także zagadkową bocznicę w rejonie kamieniołomu Gliniska.

26 października do Chełma przybył Imperator Car Mikołaj II. Wizytował stację, obejrzał pociąg do transportu rannych konstrukcji 3. Batalionu, pozytywnie oceniając jego przydatność. Pułkownik Żukowski ofiarował carowi „Krótkie sprawozdanie o budowie i eksploatacji linii Chełm – Zwierzyniec".

Od 30 października do 3 grudnia 1914 r. 3. Batalion został oddelegowany do remontu odcinka kolei normalnotorowej. W tym czasie do ochrony i prowadzenia ruchu na kolejce (wówczas już o długości ponad 100 km) została tylko jedna rota, dlatego wstrzymano dalsze prace w kierunku Biłgoraja. 6 grudnia 1914 r. specjalna komisja objechała linię Chełm – Zwierzyniec i dopuściła ją oficjalnie do ruchu. Dokonano rozliczenia finansowego budowy oraz przyjęto „pretensje" właścicieli ziemskich o odszkodowania, w tym także cukrowni Klemensów.

Lokomotywa typu N86 z fabryki w Kołomnie i rosyjscy kolejarze na linii Chełm – Biłgoraj. Ze zbiorów Muzeum Regionalnego w Krasnymstawie

Prace wznowiono 9 grudnia 1914 r., zaczęły się jednak mrozy i zamiecie śnieżne. Zmarzły grunt trzeba było rozbijać kilofami. Wielkie trudności wystąpiły przy karczowaniu lasu, brakowało robotników, a wśród zatrudnionych przeważały kobiety i podrostki. Z tego powodu 6 grudnia zdecydowano się wypłacić zatrudnionym mężczyznom po 80 kopiejek, kobietom – 60, a podrostkom po 40. Tym niemniej 23 grudnia prace wstrzymano. Do tego czasu od Zwierzyńca ułożono 26 km toru szlakowego i 5 km dodatkowego, usypano 18 km nasypów. Las wyrąbano na długości 12 km. Kolejka dotarła do Biłgoraja. Należy tu zauważyć, że przebieg linii rosyjskiej na odcinku od Hedwiżyna do Rap pod Biłgorajem prowadził po północnej stronie szosy, dwukrotnie ją przecinając. Dopiero później Austriacy poprowadzili tor po stronie południowej.

Pierwotnie w sierpniu 1914 roku władze wojskowe planowały poprowadzenie linii na południe, wykorzystując linię do Górecka. Projektowano poprowadzić ją wzdłuż strumienia Szum przez Aleksandrów, Łukową, Babice, Obszę, Ułazów do Oleszyc, gdzie miałaby stację styczną z koleją normalnotorową Munina – Hrebenne. Mimo dużego zaawansowania prac wstępnych (wykonano trasowanie i projekty mostów) nie doszło do realizacji tego przedsięwzięcia, ale za to zbudowano odcinek do Biłgoraja. Zmiana planów wiązała się najpewniej z sytuacją na froncie – dla armii ważniejszy był transport w kierunku na zachód od Zwierzyńca, a nie na południe. Dlatego też zapewne rozebrano linię Zwierzyniec – Górecko.

Od 4 stycznia 1915 r. na całej linii Chełm – Biłgoraj prowadzono regularne przewozy wojsk. Eszelony jechały z prędkością 12-14 km/h, a przy zamieciach śnieżnych 9-10 km/h. Tory były regularnie odśnieżane, wzdłuż linii ustawiono płotki przeciwśnieżne. W porównaniu z jesienią przewozy towarowe w styczniu były niższe. Zwiększył się udział ładunków gospodarczych, a spadł broni i rannych. 31 stycznia 1915 r. naczelnik kolejki – pułkownik Żukowski – Wołyński – donosił dowódcy Armii Frontu Południowo-Zachodniego, generał-majorowi Pawskiemu, że na prośbę gubernatora chełmskiego zdecydował umożliwić obywatelom powiatów: biłgorajskiego, hrubieszowskiego, zamojskiego i tomaszowskiego (które to ucierpiały z powodu działań wojennych) przejazdy kolejką za opłatą ulgową, a także przewozić po niej towary pierwszej potrzeby. Warunki i taryfa były zatwierdzone 18 lutego 1915 r. Nie znamy niestety żadnych szczegółów dotyczących pierwszej publicznej kolei łączącej Zwierzyniec z Biłgorajem.

W dokumentach z 21 lutego 1915 r. Zapisano, że kolejka Chełm – Biłgoraj używała ogółem 14 stacji do wodowania, 7 składów paliwa, 3 stacje z zapleczem technicznym i warsztatami. Ochraniano 10 mostów. W ciągu doby prowadzono 5-8 par pociągów, nie licząc balastowych (Pociągi balastowe przewoziły piasek do balastowania miejsc na linii, które wymagały zbudowania lub poprawy podtorza). Kolejkę obsługiwały cztery roty 3. Batalionu Kolejowego oraz najemni robotnicy. W lutym 1915 r. przewieziono, oprócz ładunków wojskowych, 5 700 ton żywności, w tym ziarno na zasiewy dla okolicznych rolników. W wyniku starań gubernatora lubelskiego od 17 marca 1915 r. dowództwo Frontu Południowo-Zachodniego zezwoliło na wycinkę drzew wzdłuż kolejki w celu zaspokojenia potrzeb ludności guberni zniszczonej wojną.

W opinii zarządców kolejki ordynackiej, spisanej w listopadzie 1914 r., rosyjska kolejka wojskowa była bardzo słabej jakości, prowizorka i pośpiech podczas budowy utrudniały efektywną eksploatację. Jako linię tymczasową zbudowano ją z przęseł patentowych o długości 5 m na podkładach stalowych, z ostrymi łukami o promieniach dochodzących do 35 m i dużymi spadkach do 40‰. Szyny były lekkie, zaś mosty drewniane na palach zabijanych ręcznie. Od Krasnegostawu do Płoskich nie stosowano balastowania podtorza. Po połączeniu obu linii przez pewien czas Ordynacja wykorzystywała kolej wojskową do własnych potrzeb transportowych. W końcu roku 1914 rozważano nawet odkupienie jej od armii, do czego jednak nie doszło z powodu złej jakości linii, braku wywłaszczenia gruntów oraz zmiennej sytuacji wojennej. 21 kwietnia 1915 r. doszło do najechania pociągu Ordynacji na skład wojskowy, za co zwolniono ordynackiego maszynistę z pracy. Przewozy na kolejce wojskowej były zmienne i bardzo zależne od aktualnej sytuacji frontowej. Tabela 2 zawiera podane wcześniej wartości.

Okres	Przewieziono towarów [t]	Przewieziono osób
październik-grudzień 1914	17 290 (w tym 16% broni; 5% ładunków medycznych)	19 000 (w tym 1 000 jeńców)
styczeń 1915	2 760 (w tym 3% broni; 0,5% ładunków medycznych)	10 700
luty 1915	350 000 pudów żywności	brak danych

Tabela 2. Wielkość przewozów na rosyjskiej kolei wojskowej

Linia ordynacka wykorzystywana przez wojska rosyjskie w okresie I wojny światowej. Zdjęcie wykonane na wschód od Płoskich. Widoczny jest jadący w stronę Zamościa parowóz typu M, produkcji francuskiej, oraz dwuosiowe platformy załadowane materiałami wojskowymi. Ze zbiorów Z. Tucholskiego

W raporcie z 6 lutego 1915 r. Żukowski-Wołyński wnioskował o przedłużenie kolejki o dalsze 30 km do Leżajska, tak by połączyć ją z kolejami w Galicji i skrócić czas transportu wojsk. Wobec postępów ofensywy austriacko-niemieckiej zamierzenie to pozostało niezrealizowane.

W lutym 1915 r. wojsko zarekwirowało podkłady zgromadzone w celach remontowych przez Ordynację, oraz, jak już wspomniano, rozebrano linię do Górecka. W połowie kwietnia Ordynacja przygotowała szyny na *„wznowienie linii do Górecka"*, co świadczyło o panującym przekonaniu o stabilności sytuacji na froncie. Jednak już niedługo później, po przełomie pod Gorlicami, Rosjanie wycofali się pod naporem lepiej uzbrojonej armii niemieckiej i austriackiej, i mimo podejmowanych dalszych kontrofensyw na zawsze utracili Lubelszczyznę. Tym razem odwrót zaplanowany był metodycznie. Wywieziono wszystko, co miało jakąkolwiek wartość, łącznie z lokomotywami, wagonami i torowiskiem wojskowym i Ordynacji. Zabrano nawet drewno przetarte w zwierzynieckim tartaku, a należące do kupca Henryka Nunberga. Gdy w lipcu 1915 r. Rosjanie opuścili Biłgoraj i Zwierzyniec, po kolei wojskowej i Ordynackiej pozostała pusta trasa i trochę podkładów. W cukrowni Klemensów zachował się też jeden z parowozów Ordynacji (N3, czteroosiowy Krauss 5853/07), sprzedany dopiero w roku 1928 firmie Wolwis, która z kolei odsprzedała go cukrowni Kruszwica. Pracował on w Kruszwicy jeszcze do roku 1958. Ewakuacja dotyczyła także pracowników – Zarządzający W. Cękalski musiał wracać aż spod Uralu.

Na linii wojskowej pracowało kilka typów lokomotyw, przede wszystkim parowozy rosyjskie typu N86 (oznaczenie cyrylicą „H86") produkcji fabryki w Kołomnie. Były to szeroko stosowane trzyosiowe lokomotywy z możliwością doczepiania dwuosiowego tendra (z tendrem bez wodowania mogły pokonać odcinek do 30 km), dostosowane do opalania węglem oraz drewnem. Dzięki blisko położonym osiom mogły pokonywać ostre łuki o promieniu 40 m z prędkością 10 km/h. Waga służbowa parowozu wynosiła 11,79 t. Ponadto fotografie dokumentują zastosowanie parowozów serii M produkcji francuskiej. Wykorzystywano wagony o ładowności ok. 6 ton i drewnianej konstrukcji oraz dwuosiowe platformy.

Podsumowując, należy stwierdzić, że chociaż rosyjska kolejka polowa istniała na odcinku Biłgoraj – Zwierzyniec tylko przez kilka pierwszych miesięcy roku 1915, to jednak jej istnienie było decydujące dla przyszłego rozwoju sieci kolejowej na tym terenie.

Szkic rosyjskiej linii wojskowej na odcinku Zwierzyniec – Biłgoraj, wykonany przez wojska austriackie w 1916 r. Bocznica zaznaczona na odcinku pomiędzy Bukownicą a Hedwiżynem budziła wątpliwości już wówczas. Zaznaczono też austriackie linie z Biłgoraja do tartaku w Woli

Drugie życie kolejki – austriacka linia zaopatrzeniowa

Latem 1915 roku, po udanej niemiecko-austriackiej ofensywie, Lubelszczyzna znalazła się ostatecznie w strefie okupacji austriackiej. Atakujące armie budowały wiele nowych linii kolejowych, zarówno na potrzeby frontowe, jak i zaopatrzenia zaplecza. Przede wszystkim konieczne było przekucie rosyjskich kolei szerokotorowych 1524 mm na rozstaw europejski – 1435 mm – oraz zbudowanie linii łączących je z siecią kolei w Galicji. Dlatego austriackie wojska kolejowe wkrótce po wkroczeniu zbudowały linię Rejowiec – Bełżec. Do użytku oddano ją w początku roku 1916.

Na południe od Zwierzyńca (w stronę Górecka), na odcinku około 5 km, poprowadzono linię normalnotorową po zlikwidowanej przez Rosjan kolejce Ordynacji. Wynikało to z ukształtowania terenu. W samym Zwierzyńcu Austriacy rozbudowali tartaki mechaniczne, produkujące m.in. podkłady kolejowe. Surowiec pochodził z okolicznych lasów, w tym z Puszczy Solskiej w okolicach Biłgoraja oraz z okolic Szozd i Tereszpola. Dowóz drewna (dłużycy) utrudniony był przez brak dróg przejezdnych dla samochodów, szczególnie w okresie opadów deszczu i roztopów. Ponadto Biłgoraj, będący wówczas siedzibą powiatu i znaczącym ośrodkiem miejskim, potrzebował stałego dowozu towarów dla wojska i ludności cywilnej. Z tych powodów władze wojskowe rozważały budowę kolei wąskotorowej od Zwierzyńca do Biłgoraja. Planowano wykorzystanie trasy dawnej kolei rosyjskiej, co w założeniach miało zmniejszyć koszty prac ziemnych.

W tym miejscu warto uczynić dygresję na temat szerokości toru kolei wojskowych podczas I wojny światowej: każda z walczących armii stosowała własne standardy, w miarę możliwości różne od obowiązujących u przeciwnika, oraz dostosowane do posiadanego na zapleczu taboru. Polowe kolejki wąskotorowe były wówczas ważnym elementem transportowym, zarówno na samym froncie, jak i dla zaopatrzenia zaplecza. Nawet jeśli linia czy tabor wpadły w ręce wroga, utrudniało to ich wykorzystanie – przekucie było czasochłonne, często niemożliwe. Dlatego armia rosyjska budowała kolejki wojskowe dla szerokości toru 750 mm, niemiecka – 600 mm, zaś Austriacy wybrali 700 mm dla linii frontowych oraz stosowali 600 i 760 mm dla zaopatrzeniowych. Ponadto Austriacy, w przeciwieństwie do armii niemieckiej, często demontowali linie frontowe po przesunięciu się linii walk (Rollbahn). O ile zachodziła potrzeba, po ich trasie ponownie budowano linie zaopatrzeniowe (Förderbahn), ale już zwykle szerokości 600 mm (przykładem była koleje Jędrzejów – Bogoria i Miechów – Działoszyce). Wynikało to przede wszystkim z ograniczonych zasobów wojskowych na tor 700 mm. Eksploatacja linii zaopatrzeniowych na zapleczu cesarsko królewskiej (austriackiej) armii uwarunkowana była więc pozyskaniem taboru z istniejących linii wąskotorowych Austro-Węgier i z zakupów

Parowóz z drewnianym wagonem typowym dla kolei folwarcznych na linii Zwierzyniec – Biłgoraj w 1917 r. Pocztówka ze zbiorów autora

z drugiej ręki. Nie było to korzystne z uwagi na brak standaryzacji i przypadkowość takich zakupów. Z drugiej strony warto zauważyć, że niemieckie i austriackie jednostki wojskowe budujące wąskotorówki były lepiej zorganizowane i miały większą samodzielność w porównaniu do rosyjskich kolei polowych. Armia rosyjska odbywała też mniej ćwiczeń praktycznych, zwłaszcza z budowy mostów. W latach 1914-1917 rosyjskie jednostki kolejowe przeszły trzykrotne reorganizacje. Co ciekawe, testy budowy linii wąskotorowych i parametrów taboru Rosjanie przeprowadzali na poligonie w Lublinie w latach 90. XIX wieku.

Na Lubelszczyźnie w okresie I wojny światowej powstało wiele linii wąskotorowych, między innymi krótko istniejąca linia Bełżec – Trawniki, linie w okolicach Hrubieszowa, linia Bystrzyca – Nasutów, rozbudowano też linię Nałęczów – Karczmiska – Opole Lubelskie. Oprócz tego istniejąca w strukturach Generał – gubernatorstwa Lublin (Militärgeneralgouverment, MGG) specjalizowana jednostka wojskowa zarządzała kilkoma innymi kolejami wąskotorowymi (piotrkowską, jędrzejowską i Miechów – Działoszyce) na terytoriach dawnego zaboru rosyjskiego zajętych przez armię austriacką. Liczne dokumenty dotyczące tej tematyki zachowały się zarówno w polskich, jak i austriackich archiwach.

Powróćmy jednak do naszej wąskotorówki. Już w październiku 1915 r. prowadzono rozmowy dotyczące ponownej budowy kolejki do Biłgoraja. Jej orędownikiem był między innymi komendant powiatu biłgorajskiego – Pułkownik Karl Roller, gdyż w tym okresie nie było tam żadnej drogi przejezdnej dla samochodów. Własnymi staraniami załatwił on 8 km używanych przenośnych przęseł torowych wraz z przemysłowymi kolebami. Słaba budowa takich torów nie dawała jednak możliwości zastosowania trakcji parowej. Wykorzystywano je do budowy drogi Biłgoraj – Janów oraz do przewozu drewna z wiatrołomów do tartaku w Woli Małej, należącego wówczas do Mojżesza Grinapla. Na początku października 1915 r. materiał ten wykorzystano do połączenia tartaku z Biłgorajem. Tory w Biłgoraju kończyły się w okolicy dawnych koszar kozackich. Linią tą dowożono drewno opałowe i budowlane do tartaku i do Biłgoraja. Linię przedłużono też od Woli Małej na północny wschód w stronę szosy i Hedwiżyna. Wojsko zwróciło się też do Ordynacji z pytaniem, czy będzie chciała odbudować swoją linię, co jednak nie miało sensu wobec budowy linii kolei normalnotorowej na zbliżonej trasie. 3 czerwca 1916 r. rozkazem numer 13955 komendanta 4 cesarsko-królewskiej armii polecono budowę kolei wąskotorowej o szerokości toru 600 mm po trasie zdemontowanej kolei rosyjskiej Zwierzyniec – Biłgoraj. W dokumentach c.k. armii określano ją jako Stabile Förderbahn (stała kolej zaopatrzeniowa, w polskich dokumentach z tego okresu pojawia się też określenie „przewozowa") – nie służąca potrzebom frontowym. Określenie „Stabile" odno-

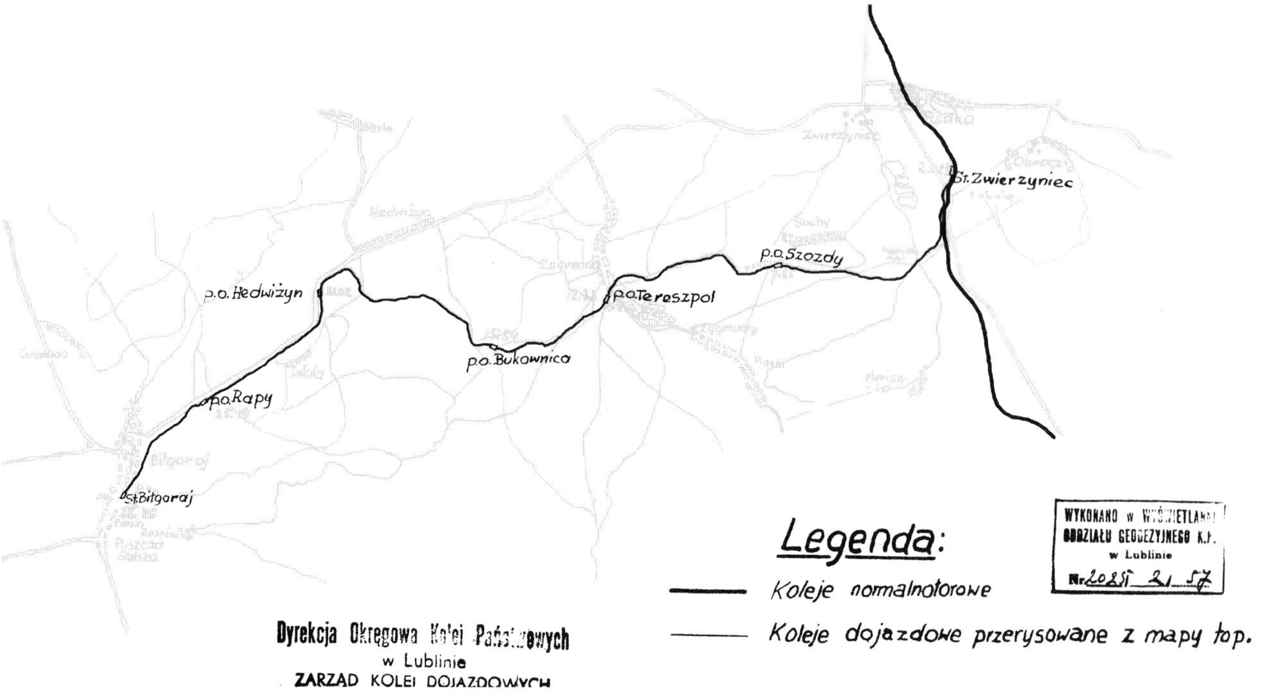

Plan linii Zwierzyniec – Biłgoraj z lat '50. XX wieku. Przebieg pozostał niezmieniony od roku 1917 do likwidacji w 1971 r. Ze zbiorów P.Staszewskiego.

siło się do jej trwałości, w odróżnieniu od linii przenośnych „Transportable". Jako punkt styczny nowej wąskotorówki i kolei normalnotorowej wybrano stację Zwierzyniec Biały Słup, położoną prawie 2 kilometry na południe od samej miejscowości (obecna nazwa Zwierzyniec Towarowy). W tym samym miejscu planowano budowę zaplecza technicznego kolejki, którego za czasów kolejki ordynackiej ani rosyjskiej oczywiście nie było.

Szczegółowy przebieg trasy zatwierdzono rozkazem MGG Lublin Nr 44849 z 7 lipca 1916 r. oraz potwierdzono rozkazem 12929 z 2 września tegoż roku. 30 lipca przedstawiciele MGG Lublin, komend powiatowych z Zamościa i Biłgoraja oraz Wojskowej Kolei Północnej (Heeresbahn Nord) spotkali się w Zwierzyńcu w celu komisyjnego przeglądu planowanej trasy kolei pod względem policyjno-przeciwpożarowym. Od Zwierzyńca do miejscowości Hedwiżyn planowano wykorzystać dawną trasę rosyjską. Dalej natomiast, od miejsca gdzie pierwotnie kolejka przecinała szosę do Biłgoraja, przechodząc na jej północną stronę, nastąpiły zmiany. Dowództwo powiatu biłgorajskiego, wbrew stanowisku MGG, forsowało trasę biegnącą bardziej na południe, przez tartak w Woli Małej. Chodziło o wykorzystanie zbudowanej w październiku 1915 r. kolejki przenośnej i o łatwy dowóz drewna z tartaku do miasta oraz o zmniejszenie kosztów budowy (pomimo dłuższej trasy kolejki zaoszczędzono by na dodatkowej bocznicy do tartaku). Projekt MGG zakładał natomiast poprowadzenie linii wzdłuż szosy, jedyna różnica względem wariantu rosyjskiego polegała na poprowadzeniu toru południowym jej skrajem, dzięki czemu uniknięto dwukrotnego z nią skrzyżowania. Do tartaku w Woli Małej planowano wybudować bocznicę. Argumentami na rzecz wariantu MGG były: krótszy szlak, niewielkie zapotrzebowanie Biłgoraja na drewno i niewielka zdolność przerobowa tartaku w Woli (miał on jeden gatr, w tym czasie tartak w Zwierzyńcu miał ich osiem) oraz innymi priorytetami przewozowymi (wywóz surowców do Zwierzyńca). Konflikt ten narastał, gdyż komendant powiatowy Karl Roller nie zamierzał ustąpić.

Dopiero 9 sierpnia 1916 roku dowództwo 4. Armii (Armeeoberkommando, AOK) zatwierdziło zakup 4 lokomotyw, 80 wagonów odkrytych i 10 platform. Zakup obciążył rachunek MGG. Także dopiero w lipcu tegoż roku MGG sprowadził 62 km bieżące szyn, 26 sztuk rozjazdów oraz inne materiały torowe. Już wówczas budowano linię telefo-

Żołnierze austriaccy na stacji Hedwiżyn. Pociąg jadący w stronę Biłgoraja składa się z kilku wagonów towarowych przebudowanych na osobowe poprzez dodanie dachu na drewnianych stemplach. Ze zbiorów KAW

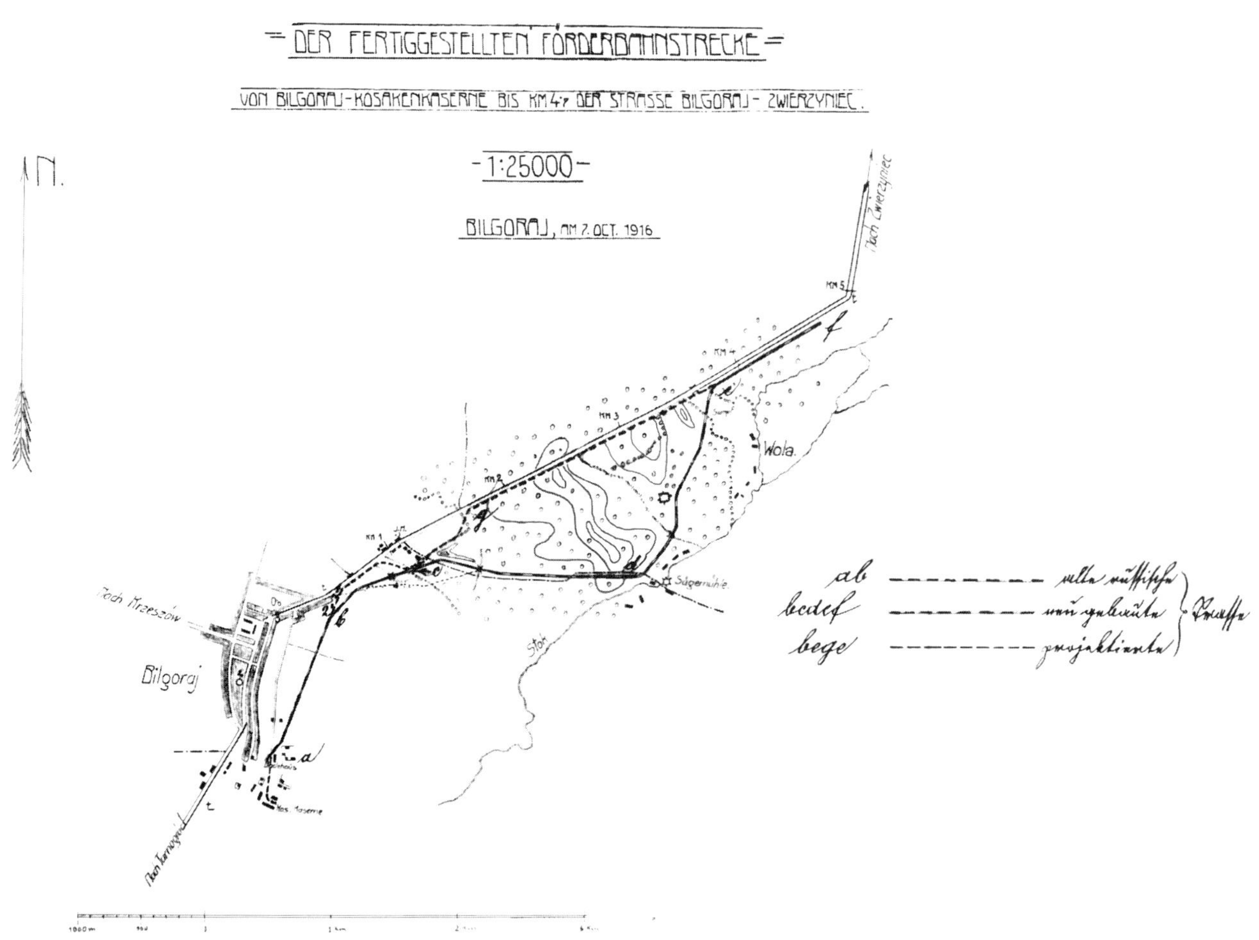

Plan ukazujący różne warianty przebiegu trasy w okolicach Biłgoraja i Woli, ilustrujący konflikt pomiędzy Komendantem Rollerem a dowództwem MGG, cde – wariant przez tartak w Woli, cge – wariant wzdłuż szosy. Ze zbiorów AGAD

niczną wzdłuż szlaku kolejowego. 23 września 1916 r. rozpoczęto prace ziemne, przy czym linię od Biłgoraja prowadzono według koncepcji komendanta powiatowego, czyli przez Wolę Małą. Pierwszy odcinek, prawdopodobnie Zwierzyniec – Szozdy otwarto 1 października 1916 r.

Do końca listopada 1916 r. z ramienia kwatermistrzostwa 4. Armii budowę prowadził inżynier podporucznik Bontempo. Z powodu niewystarczającej ilości materiałów, a przede wszystkim robotników, wykonano do tego czasu jedynie 14 km torowiska i 18 km podbudowy. Niezadowolone z wolnego tempa prac dowództwo zastąpiło go wówczas pułkownikiem Platowskim, którego z kolei na początku roku 1917 zwolniono na rzecz porucznika Molitora. Zmiany kierownictwa były zapewne także efektem ubocznym przedłużającego się konfliktu o przebieg trasy kolejki w okolicach tartaku w Woli Małej.

Komendant powiatu, mimo że postawił na swoim, nie powstrzymywał się od osobistych złośliwości – o podporuczniku Bontempo pisał w sposób następujący: „*nie wydaje mi się, aby ten człowiek przez szybkie wykonywanie swojej pracy zasłużył sobie na takie nazwisko (bon tempo)*". Z pewnością budowę spowolniało wykorzystanie kolei do wywozu drewna do Zwierzyńca, co miało miejsce już od jesieni roku 1916. W warszawskim Archiwum Głównym Akt Dawnych zachował się raport z jazd w styczniu 1917 r. drużyny pociągowej zwożącej przez cały dzień drewno z Szozd i Tereszpola do Zwierzyńca. Przy ograniczonych zasobach sprzętowych i ludzkich przewozy towarowe na nieukończonej linii odbijały się na tempie jej rozbudowy. Od stycznia 1917 r. prace pomocnicze przy budowie wykonywało około 250 jeńców wojennych, najpewniej Rosjan. Nocowali zarówno w Zwierzyńcu, jak i w Biłgoraju. Pilnowało ich około 25 strażników oraz jeden chorąży, niemniej czasem dochodziło do ucieczek – przykładowo 18.03.1917 zbiegło sześciu jeńców o rosyjskich nazwiskach. Po zakończeniu budowy kolei od kwietnia 1917 r. ponad stu jeńców skierowano do pracy w tartaku w Woli Małej. Ostatni z nich zakończyli pracę przy wąskotorówce w sierpniu 1917 r.

Przy pracach zatrudniano także miejscową ludność cywilną, podobnie jak to miało miejsce podczas budowy kolejki rosyjskiej. Napotykało to jednak na trudności wynikające z niskich płac oraz fatalnych warunków zakwaterowania i wyżywienia. W założeniach z początku roku 1917 przy budowie linii pracować miało 200 Polaków, jednak w praktyce zatrudniono jedynie 29 osób. Dlatego też prawdopodobnie sprowadzono jeńców.

Pomimo chwilowego wstrzymania dostaw podkładów ruch do tartaku Wola otwarto 10 lutego. Pierwszy pociąg roboczy wjechał do Biłgoraja dwa dni później – 12.02.1917 o godzinie 11.30. Od końca lutego do Biłgoraja docierał jeden pociąg dziennie, niestety, z powodu braku wagonów możliwy był załadunek jedynie 2-3 wagonów naraz.

Od początku istnienia kolejki ruch prowadziły oddziały podlegające specjalizowanej jednostce MGG Lublin – Förderbahnen Kommando. Administracyjnie pracownicy kolejki podlegali natomiast odpowiedniej komendzie powiatu (tu: Kreiskommando Zamość, a później Biłgoraj). Konflikt pomiędzy biłgorajską komendą powiatu a podległą 4. Armii Grupą Przemysłową I (Industriegruppe I, JG I), eksploatującą m.in. tartaki w Zwierzyńcu, dotyczył także codziennych spraw ruchowych i organizacyjnych. Zachowane pisma dotyczą np. odmowy zatrudnienia maszynisty z polecenia 4. Armii, podania o określenie podległości służbowej itp.

Ruch osobowy prowadzono od kwietnia 1917 r. Kursowała jedna para pociągów dziennie, a podróż trwała aż trzy i pół godziny, co wynikało nie tylko z dłuższej trasy przez Wolę Małą, ale przede wszystkim z faktu prowadzenia pociągów mieszanych osobowo-towarowych. Oprócz pasażerów przewożono drewno, wapno, zboże, pasze i zaopatrzenie.

Żołnierze często jeździli na parowozie, siadając na skrzyniach wodnych. Przypuszczać można, że wynikało to z braku wygodnych wagonów pasażerskich. W rozkazie Kreiskommando Zamość z 11 marca 1917 r. zakazano tego typu praktyk.

Na stacji w Zwierzyńcu zastosowano rzadkie na polskich wąskotorówkach rozwiązanie problemu obracania taboru – pętlę (takie pętle Austriacy zbudowali też na sieci kolei jędrzejowskich), natomiast na stacji w Biłgoraju zbudowano trójkąt. Koszt budowy linii do wiosny 1917 roku (łącznie z taborem) wyniósł około 800 000 koron, co stanowiło przeciętnie 27 000 koron za kilometr. Nie były to koszty wysokie – budowana w tym samym czasie kolejka jędrzejowska kosztowała przeciętnie 43 000 koron/km. Dla porównania ówczesne miesięczne zarobki konduktora czy maszynisty parowozu kolei wojskowych wynosiły około 200 koron. Jednak oszczędności przy budowie były zbyt daleko idące. Z powodu braku nowych podkładów wykorzystywano stare: częściowo pozostawione na linii jeszcze przez Rosjan, a częściowo sprowadzone ze zlikwidowanej niemieckiej kolejki wojskowej Bełżec – Trawniki (przekazano ok. 30 000 sztuk). Powodowało to liczne wykolejenia.

Konflikt o przebieg kolei w terenie zakończył się chwilowym zwycięstwem opcji komendanta Rollera. Sprawa odżyła jednak w nowej postaci już wiosną 1917 r. Dowództwo 4. Armii, niezadowolone ze zbyt niskich dostaw drewna kolejką do tartaków Grupy Przemysłowej I w Zwierzyńcu,

Zniszczone, lecz jedyne zdjęcie pokazujące okolicznych mieszkańców zatrudnionych przy budowie kolei. Ze zbiorów Muzeum Ziemi Biłgorajskiej

zarządziło inspekcję. Przeprowadził ją kapitan von Scheda w maju 1917 r., wykazując wiele nieprawidłowości. Zarzuty dotyczyły zbyt dużej liczby ostrych łuków i spadków trasy (zwłaszcza pomiędzy Szozdami a Tereszpolem, gdzie wskutek licznych wykolejeń wzdłuż torów leżało dużo dłużycy), braku dostatecznej liczby torów i ramp w Zwierzyńcu, braku urządzeń do wodowania parowozów, braku zaplecza warsztatowego, niedostatecznych kwalifikacji pracowników i wielu pomniejszych spraw. Wniosek był jeden: przekazać kolej do eksploatacji 4. Armii w celu usunięcia wymienionych problemów.

Szczegółowe odpowiedzi komendanta Rollera dają nam wgląd w wiele zagadnień związanych z okresem początkowej eksploatacji linii. Komendant bronił polityki oszczędności przy pracach ziemnych i torowych, opisał też prowadzone prace i inwestycje. Pogłębiono przekop pomiędzy Szozdami a Tereszpolem (zmniejszono nachylenie z 30‰ do 21‰) oraz wymieniono podkłady na nowe. Niemniej, jak się wydaje, to konflikty personalne, a nie merytoryczne sprawy były powodem tworzenia kilkudziesięciostronicowych elaboratów i pism. Także i nowy kierownik robót, porucznik Molitor, okazał się człowiekiem „konfliktowym i nerwowym", szykanującym pracowników i dezorganizującym prace. W maju 1917 r. zastąpił go pułkownik Vetisek, który podjął wiele prac naprawczych.

W wyniku negatywnego raportu von Schedy 28.06.1917 szef sztabu generalnego rozkazem 11334 zarządził przekazanie linii w „tymczasowy" zarząd 4. Armii. Przekazanie na gruncie miało miejsce 24 lipca 1917 r. w Zwierzyńcu (według innych dokumentów 1 sierpnia). Dowództwo 4. Armii przydzieliło do prac swojej jednostce podrzędnej Lokomotivfeldbahn Nr 1 (LFB1), czyli podstawowemu oddziałowi kolejowemu armii austriackiej[1]. Jako że służyli w niej głównie kolejarze, uporządkowała ona prowadzenie ruchu oraz wykonała wiele zmian na stacjach. Wcześniejsze prace określono przy tej okazji jako „wykonane pobieżnie". LFB1 zarządziła likwidację mijanek Bojary (wieś włączona w 1919 r. do Biłgoraja) i Wola. Zmieniono lokalizację stacji Hedwiżyn i rozbudowano przystanek Rapy. Zmniejszono też całkowitą długość kolejki, co najpewniej było spowodowane zmianą trasy na odcinku Hedwiżyn - Biłgoraj. Powrócono do wariantu proponowanego pierwotnie przez MGG, czyli wzdłuż południowego skraju szosy, z torem bocznicowym do tartaku w Woli Małej. Do dzisiaj w lesie pomiędzy szosą a wsią Wola Mała widoczne są dwa nasypy kolejki – ślady nietrwałego zwycięstwa komendanta Rollera. Na marginesie można zauważyć, że statystyki przewozowe z okresu międzywojennego potwierdzają argumentację MGG, zaprzeczając tym samym pułkownikowi Rollerowi: wywóz towarów (zwłaszcza drewna) znacznie przewyższał przywóz towarów do Biłgoraja.

Po korektach wykonanych przez LFB1 w sierpniu 1917 r. linię skrócono z 28,561 km do 26,792 km, natomiast torów stacyjnych przybyło od 4,257 km do 6,634 km, przy czym rozbudowa stacji trwała jeszcze we wrześniu 1917 r. Wykonane wówczas zmiany obejmowały:

- likwidację stacji Bojary,
- rozbudowę stacji Rapy,
- likwidację stacji Hedwiżyn Wola (20,5 km),
- budowę stacji Hedwiżyn Tartak (19,3 km),
- budowę ładowni cywilnej w Zwierzyńcu,
- budowę wieży wodnej w kilometrze 12,467 (Tereszpol).

Jak wynika z zachowanych w wiedeńskim Kriegsarchiv dokumentów, istniejące wówczas bocznice to dwa krótkie „tory leśne" w Rapach i w Hedwiżynie, jeden tor do pieca wapiennego w Bukownicy i jeden do tartaku we wsi Wola Mała. Tory w Woli Małej prowadziły też dalej w las za tartakiem, jednak trudno dokładnie określić ich przebieg. Tor leśny w Hedwiżynie prowadził do nowo budowanego tartaku znajdującego się wówczas nieopodal stacji (po północnej stronie szosy). Do dzisiaj zachowały się tu nasypy i ślady po fundamentach zabudowań tartacznych.

Linię podzielono na cztery odcinki drogowe (nazywane „Domiziel"): Zwierzyniec, Tereszpol, Bukownica i Wola. Biura kolejki urządzono w Zwierzyńcu Białym Słupie („Betriebskommando und Kanzlei"). W Dzienniku Urzędowym numer VII c.k. Komendy Powiatowej w Biłgoraju, wydanym (po niemiecku i po polsku) 15 października 1917 r. przypomniano przepisy bezpieczeństwa przy korzystaniu z kolei. Szczególną uwagę zwraca zapis: *„gminy są odpowiedzialne za bezpieczeństwo urządzeń kolejowych znajdujących się na ich terenie [...]. Elementy niepewne, w szczególności przyjezdni, powinni być stale obserwowani".*

Na początku roku 1917 c.k. Grupa Przemysłowa I wypożyczyła od Ordynacji pozostałe po dawnej kolejce materiały: 800 sztuk szyn oraz 7 koleb, które najprawdopodobniej wykorzystano do budowy linii do Biłgoraja lub, co bardziej prawdopodobne, miejscowej kolejki w tartaku w Zwierzyńcu. Równoważne materiały (334 m szyn luzem

---

[1] Latem 1916 r. jednostka ta pracowała na linii jędrzejowskiej.

i 845 m zabudowanych w Tartaku I w Zwierzyńcu) zwrócono Ordynacji już w sierpniu 1918 r., a więc tuż przed opuszczeniem Polski przez wojska austriackie.

Jesienią 1917 roku podróż kolejką do Biłgoraja odbył Izaak Singer, pisarz i późniejszy laureat literackiej Nagrody Nobla. W książce „Urząd mojego ojca" (jego ojciec był rabinem w Biłgoraju) tak opisuje ową podróż: *„niedawno położono krótki odcinek toru między Zwierzyńcem a Biłgorajem i chociaż nie był jeszcze ukończony, już z niego korzystano. Nasz pociąg składał się z małej lokomotywy na maleńkich kółkach, podobnej do zabawki, i niskich wagoników z bocznymi ławkami, na których siadali biłgorajscy podróżni. Wszyscy byli opaleni, a ich ubrania spłowiałe od słońca. Wielu mężczyzn miało rude brody, byli ubrani w chałaty [...]. Nagle wszyscy krzyknęli; wykoleiły się tylne wagony. Nastąpiło długie oczekiwanie na ustawienie wagonów na torze, przy pomocy drągów. Wszyscy byli zgodni, że w czasie najbliższego szabasu należy złożyć modły dziękczynne. Mówiono, że zdarzało się, iż na tym prowizorycznym przejeździe ponosili śmierć pasażerowie, którym szczęście nie dopisało.*

Okolica między Zwierzyńcem a Biłgorajem była piękna. Jechaliśmy przez lasy i doliny mijając od czasu do czasu jakąś chatę pokrytą strzechą albo pobielany wapnem dom, kryty gontami. Kolejka wciąż przystawała, żeby pasażer mógł napić się wody albo zniknąć na chwilę w krzakach; maszynista przekazywał paczki lub gawędził z wieśniakami mieszkającymi przy torach. Żydzi odnosili się do maszynisty tak poufale, jakby to był goj, który przyszedł do żydowskiego domu w dniu szabasu, żeby napalić w piecach i zwracali się do niego z prośbą o różne postoje."

Już w czasie wojny zatrudniano Polaków: wojsko poszukiwało wykwalifikowanych pracowników kolejowych, oferując im dodatkowe (ponad żołd) pieniądze. W wielu dokumentach pojawiają się też polsko brzmiące nazwiska kolejarzy, zarówno wśród żołnierzy, jak i personelu cywilnego.

Na marginesie warto odnotować, że obsada kolejki posiadała broń. Nie było to jednak uzbrojenie zbyt nowoczesne... Przykładowo w lutym 1917 r. na stanie wąskotorówki był jeden karabin produkcji austriackiej (typu Werndla, a więc już wówczas przestarzałego typu) z 5 nabojami oraz jedną sztukę przystosowanej broni rosyjskiej z 40 nabojami.

W warsztatach w Zwierzyńcu Austriacy zainstalowali jeden silnik spalinowy, jedną tokarkę i dwie wiertarki. Warsztaty prowadził inżynier mechanik porucznik Plech. Zatrudniono majstra, 9 ślusarzy, 4 kowali, 2 stolarzy i 4 robotników pomocniczych.

Niezrealizowane pozostały ówczesne plany rozbudowy linii od Biłgoraja na południe do Tarnogrodu. Nie jest jasne, czy tylko na papierze pozostało połączenie stacji Zwierzyniec Biały Słup z przystankiem Zwierzyniec Wieś i istniejącymi już wówczas torami technologicznymi tamtejszych dwóch tartaków. W tej sprawie prowadzono zaawansowane ustalenia w zakresie bezpieczeństwa i prowadzenia ruchu z koleją normalną (Heeresbahn Nord), w kilku pismach mowa też jest o przewozie drewna wprost do tartaków. Z drugiej strony jednak na znanych autorowi mapach i planach tory kończą się na stacji Biały Słup. Być może łącznica była przedłużeniem lekkich torów tartacznych, nie dostosowanych do trakcji parowej.

Do końca I wojny światowej kolejka pozostała w gestii 4. Armii. Z tego powodu nie figuruje ona niestety w zestawieniach i rozkładach jazdy kolei wąskotorowych MGG, co utrudniało poszukiwania archiwaliów.

Lata międzywojenne

Zwierzyniec odzyskał niepodległość już 1 listopada 1918 r. Warto przytoczyć wspomnienia Franciszka Stelągowskiego zamieszczone w „Książce Pamiątkowej o wydarciu Sieci Kolejowej Radomskiej z rąk najeźdźców austryjackich przez Kolejarzy Polaków wydaną w pierwszą rocznicę utworzenia dyrekcji radomskiej": *„W Zwierzyńcu działała organizacja P.O.W. W zarządzie ordynackim i w szkole miejscowej pracowali byli legjoniści i trzech (licząc mnie) kolejarzy; wszyscy byliśmy przygotowani objąć w odpowiedniej chwili zajmowane przez wroga posterunki, t.j. kolej, tartaki, koszary żandarmerii, magazyny i inne, dość obficie zaopatrzone w artykuły żywnościowe, w odzież i obuwie, jak również kolej wązkotorową Zwierzyniec – Biłgoraj, pobudowaną przez okupantów [...]. My kolejarze, zajęliśmy stację Zwierzyniec wieś, Zwierzyniec „Biały Słup" szeroko i wązkotorowej kolei z magazynem i postawiliśmy straż przy moście na Wieprzu. Zajęcie kolei, magazynów, składów i wszystkich posterunków powiodło się nam dzięki zdecydowanemu stanowisku naszemu i tej okoliczności,*

Pociąg osobowy z parowozem PKP A 1210 na stacji Biłgoraj wkrótce po odzyskaniu niepodległości w 1918 r. Z przodu parowozu widoczne są bańki na naftę do latarni. Kryty wagon osobowy nosi napis „Bełżec – Budy" (była to część wojennej linii Bełżec – Trawniki), ciekawy jest też dwuosiowy wagon typu letniego. Ze zbiorów Z. Tucholskiego

że wśród wojskowych byli polacy, którzy czynnie nam pomagali. [...]. W parę dni kolej była obsadzona przez pracowników, delegowanych ze związku kolejowego, a prócz tego jeden z nas trzech obecnych w Zwierzyńcu, P. Góra zajął miejsce zawiadowcy i kasjera w Zwierzyńcu wsi gdzie pełnił dłuższy czas obowiązki, drugi z nas p. Gadomski objął zarząd wązkotorowej kolejki Zwierzyniec – Biłgoraj do czasu przejęcia jej przez wojskowe dowództwo."

Przejęta przez Polaków kolej została przydzielona Radomskiej Dyrekcji Kolei Państwowych. Do 01.02.1932 Zarząd Kolei mieścił się w Zwierzyńcu, kiedy to kolejka została podporządkowana Zarządowi II klasy Kolei Wąskotorowej w Hrubieszowie, nadal w ramach Dyrekcji Okręgowej Kolei Państwowych w Radomiu. Zorganizowano jeden odcinek drogowy (WDZ) z siedzibą w Zwierzyńcu. Formalnie używano nazwy „Zwierzyniecka Kolej Wązkotorowa".

Pomimo stosownych dekretów Naczelnika Państwa (Dziennik Praw Nr 14, pozycja 155 z dnia 08.02.1919) w początkowych latach okresu międzywojennego nie wypłacono odszkodowań za grunty zajęte pod budowę kolei. W przypadku naszej kolejki były to w przeważającej części grunty leśne Ordynacji Zamojskiej. Ordynacja podnosiła tę sprawę, wskazując, że ze swojej strony płaci bez opóźnień za dzierżawę placu na st. Tereszpol. 24.05.1927 powołano Komisję Szacunkową, która miała określić zasadność roszczeń Ordynacji oraz innych właścicieli gruntów w oparciu o pomiary w terenie wykonane we wrześniu 1926 r. W jej skład wchodzili: delegat Dyrekcji Kolei Państwowych Radom, urzędnicy starostwa w Zamościu, sędzia pokoju ze Zwierzyńca, komisarz ziemski, wójtowie gmin oraz przedstawiciel Ordynacji. Strona kolejowa kwestionowała ustalenia i dopiero ponowne oszacowanie wykonane 25.04.1929 doprowadziło do wiążących uzgodnień. W końcu w kwietniu 1930 r. przyznano konkretne kwoty za wywłaszczone grunty, w tym na rzecz Ordynacji 12 328,65 złotych za ponad 161 000 m^2 gruntów. Kwot odszkodowań dla innych właścicieli nie udało się ustalić.

Jak podają źródła, w roku 1925 linia miała długość 26,46 km, przy czym największy odstęp międzystacyjny wynosił 5,5 km. Tabor stanowiło 10 parowozów, 8 wagonów i 146 lor. Między stacjami poprowadzona była linia telefoniczna. Punkty zaopatrzenia w wodę znajdowały się na stacjach Zwierzyniec i Hedwiżyn.

Stan ten nie zmienił się wiele do roku 1927: długość linii pozostała taka sama; eksploatowano stacje: Zwierzyniec Wąski, Szozdy, Terespol Wąski, Bukownica, Jadwiżyn, Rapy, Biłgoraj; Używany tabor to 9 parowozów, 12 wagonów osobowych i 165 wagonów towarowych. Co ciekawe, w urzędowych wykazach dróg i linii kolejowych opisano wówczas też dwie „odnogi":

- Jadwiżyn – Ignatówka – 4 km długości, kolejka towarowa, trakcja parowozowa, tabor: 1 parowóz, 24 wagony;
- Biłgoraj – Dąbrowica – 6 km długości, kolej nieczynna, trakcja parowozowa, tabor: 20 wagonów towarowych.

Pierwsza z nich prowadziła do kamieniołomów Żelebsko (na północ od Ignatówki), druga z nich zbudowana została przez Zamojską Spółkę Drzewną Ordynacji Zamojskich. W latach późniejszych nie są one już wymieniane. Według relacji mieszkańców Ignatówki w kamieniołomach Żelebsko kamień ładowano do koleb i ręcznie przepychano do placu na południe od wsi. Tam przeładowywano do wagonów PKP i dalej wywożono do Hedwiżyna, wykorzystując do tego trakcję parową. Na stromych spadkach przy kamieniołomach wagoniki hamowano ręcznie prętami metalowymi. Niestety, nie zachowały się żadne dokumenty dotyczące tej linii.

Druga z bocznic miała inną genezę. W roku 1921 Ordynacja utworzyła Zamojską Spółkę Przemysłu Drzewnego, która w celu eksploatacji lasów Ordynacji planowała budowę linii kolejowych. I tak 25.07.1921 Ministerstwo Kolei Żelaznych przyznało *„prawo zejścia na grunt celem czynienia przedwstępnych poszukiwań kolejowych linii od Biłgoraja do Janowa"* dla Teodora Służewskiego działającego z ramienia Komitetu Założycieli Spółki Zamojskiej Przemysłu Drzewnego. W tym samym roku spółka rozpoczęła budowę bocznicy z Biłgoraja na zachód do lasów Ordynacji, przez wieś Borek (obecnie przedmieście Biłgoraja) i Łęk, lewą stroną drogi do wsi Sól. Projektowano linię długości 40 km, ale powstała jedynie na odcinku około 6 km. W celu prowadzenia na niej ruchu sprowadzono do Zwierzyńca parowóz oraz lokomotywy spalinowe. Niestety, nie udało się ustalić ani producenta, ani innych szczegółów dotyczących tego taboru. We wrześniu 1922 r. w piśmie plenipotenta Ordynacji do Biura Odbudowy w Biłgoraju proszono o wywarcie wpływu na sejmik w Biłgoraju oraz właścicieli gruntów w celu umożliwienia budowy. Wobec niepowodzenia całego przedsięwzięcia Spółki Przemysłu Drzewnego bocznicę zlikwidowano w 1923 r., a lokomotywę udostępniono w następnym roku Spółce Akcyjnej Dobra „Bory Nadniemeńskie".

Według relacji mieszkańców, potwierdzonych przez ślady w terenie, w okolicach Hedwiżyna i Woli Małej układano liczne boczne tory do ładowni leśnych z przęseł patentowych, które demontowano po zakończeniu wycinki drzew. Trudno dzisiaj ustalić ich dokładny przebieg oraz zasięg. Nie jest też jasne, kto je budował i eksploatował.

Najprawdopodobniej w roku 1922 Ordynacja Zamojska wybudowała łącznicę długości niecałych dwu kilometrów pomiędzy stacją Zwierzyniec Biały Słup kolejki wąskotorowej PKP a torami tartacznymi w Zwierzyńcu. Być może przeprowadzono remont torów zbudowanych jeszcze

Transport drewna w Zwierzyńcu. Parowóz to jeden z czteroosiowych Brigadelok. Okres międzywojenny. Ze zbiorów Muzeum Ziemi Biłgorajskiej

Tory łącznicy wąskotorowej w Zwierzyńcu w okolicach młyna w latach 20. XX w. Ze zbiorów RPN Zwierzyniec

przez Austriaków w 1917 r. Niewątpliwie publikacje opisujące tę bocznicę jako niezależną kolejkę nie są prawdziwe. Na skutek intensywnej eksploatacji lasów powstała konieczność przewiezienia surowca do tartaku i fabryki mebli w Zwierzyńcu. Tor poprowadzono równolegle do toru normalnego, w samej miejscowości rozgałęział się na cztery odnogi: do fabryki mebli, tartaku w Rudkach (na prawym brzegu rzeki Wieprz), tartaku nr 1. oraz do elektrowni. Przecięcie z torem normalnym na 74 km linii normalnotorowej Rejowiec – Bełżec (przy dzisiejszej stacji Zwierzyniec) było powodem sporów z PKP, które w roku 1921 zażądały dodatkowych zabezpieczeń (dróżnik) i opłat za jego utrzymanie. Pośrednio spór ten został wywołany przez sprowadzenie przez Ordynację parowozu i lokomotyw spalinowych (dla bocznic Spółki Drzewnej w okolicach Biłgoraja i dla linii Matcze – Strzelce) na stację Zwierzyniec oraz ich testowanie na odcinku pomiędzy tartakiem a fabryką mebli. Kierownictwo kolejki wąskotorowej PKP poczuło się zagrożone obecnością na linii nowoczesnego taboru należącego do prywatnego właściciela. Obawiano się prawdopodobnie samodzielnego prowadzenia przewozów towarowych, a w dalszej perspektywie i pasażerskich przez Ordynację, co zmniejszyłoby przychody PKP. Konflikt ten przywodzi na myśl obecne dyskusje o prywatyzacji i konkurencji w kolejnictwie polskim. W końcu na wniosek kierownika kolejki, A. Górczyńskiego, strony uzgodniły opłaty dzierżawne za grunt zajęty przez tor przecinający linię PKP oraz za nadzór techniczny nad bocznicą.

W wyniku tych uzgodnień 10.05.1924 Ordynacja podpisała z PKP umowę bocznicową, jednak w latach późniejszych nadal prowadziła spór z koleją dotyczący opłat i użytkowania tej bocznicy. Wynikało to najpewniej ze skomplikowanych stosunków dzierżaw poszczególnych obiektów. Wreszcie Naczelnik Wydziału Kolei Wąskotorowych w Radomiu złożył 17.07.1929 wniosek do Prokuratorji Generalnej o egzekucję zaległej kwoty 1 195,36 złotych, którą to kwotę Ordynacja zapłaciła dopiero zagrożona zamknięciem ruchu na bocznicy 01.04.1930. W korespondencji wspomina się, że bocznica ta była *„ważna dla Zarządu Lasów OZ"*, służyła do dowozu drewna z lasów do tartaku. W latach późniejszych PKP wykorzystały ją także do ruchu osobowego – urządzono przystanek z kasą Zwierzyniec Wieś. Była to najpoważniejsza rozbudowa kolejki w okresie międzywojennym.

Związki Ordynacji z kolejką nie ograniczały się jednak do sporu o opłaty bocznicowe. Już 22.11.1919 Naczelnik VI Oddziału (Drogowego) PKP w Zwierzyńcu rozpoczął rozmowy handlowe o zakup 20 wagonów wapna z pieców wapiennych w Bukownicy na potrzeby Wydziału Kolei Wąskotorowych w Radomiu. Po ustaleniu warunków zakupu (*„19 Mk loco wagon stacja Bukownica kolejki wązkotorowej i 21 Mk loco wagon st. Zwierzyniec kolei szerokotorowej"*) w roku 1920 PKP stało się największym odbiorcą wapna, zakupując kilkakrotnie duże partie towaru. Przykładowo w kwietniu 1920 r. było to 12 wagonów po 600 pudów (ok. 9,8 t), łącznie 7 200 pudów (ok. 118 t) kamienia o wartości 48 000 Mk, w grudniu 1920 r. i styczniu 1921 r. – 28 wagonów za 33 600 Mk. W marcu 1921 r. PKP zamówiło w Bukownicy kolejne 100 t. Oprócz tego kolejką wożono wapno także dla innych odbiorców. Ordynacja dzierżawiła place ładunkowe w Tereszpolu (załadunek drewna) oraz, jak już wyżej wspomniano, budowała bocznice leśne. Na marginesie warto zauważyć, że w okresie międzywojennym Ordynacja zbudowała nowe linie wąskotorowe 600 mm do przewozu buraków cukrowych, położone na północ od cukrowni Klemensów i niepowiązane w żaden sposób z omawianymi liniami.

Drugim ważnym wątkiem życia kolejki były stosunki z miastem Biłgoraj. Pomimo remontu drogi gruntowej z Biłgoraja do Zwierzyńca we wczesnych latach trzydziestych XX wieku stan dróg i warunki komunikacji samochodowej pozostawiały wiele do życzenia. Dlatego władze miasta Biłgoraj oraz powiatu biłgorajskiego dążyły do budowy linii normalnotorowej. W roku 1938 władze miasta i powiatu biłgorajskiego uzyskały w Ministerstwie Komunikacji wstępną zgodę na wykonanie projektu technicznego trasy. 24.05.1938 Rada Miejska upoważniła Zarząd Miejski do *„wyszukania odpowiednich środków na pokrycie wydatków związanych z opracowaniem projektu technicznego przyszłej trasy szerokotorowej"*. Prawdopodobnie plany te miały związek z ogólnopolskimi projektami linii kolejowej Śląsk – Wołyń, które zakładamy włączenie nowej magistrali w sieć istniejącą w Zwierzyńcu. Wybuch II wojny światowej uniemożliwił realizację tych planów.

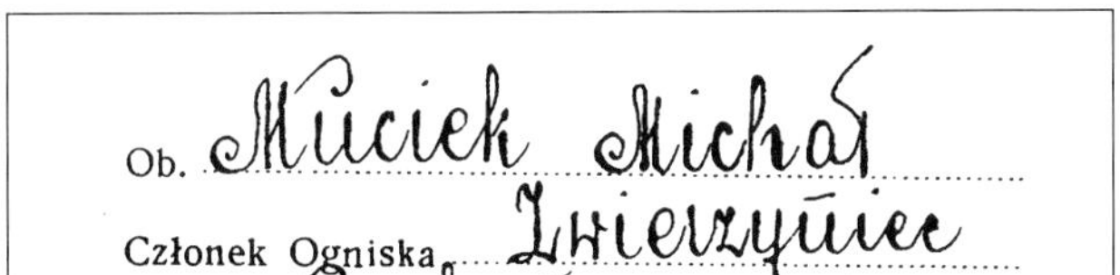
Ob. Muciek Michał
Członek Ogniska Zwierzyniec
Okręg Radom
Data urodzenia 17/VIII – 1900.
Data wstąpienia do Organizacji 23/V – 1931.
Stanowisko służbowe p.o. torowy
Radom dn. 25. VI. 1932 r.
KOLEJOWE PRZYSPOSOBIENIE WOJSKOWE * Zarząd Okręgu Radom
Za Zarząd Okręgu:
Sekretarz. Prezes.
2

Strona z legitymacji Kolejowego Przysposobienia Wojskowego toromistrza Michała Mućka z roku 1932

Ważnym zadaniem ówczesnych kolei był przewóz poczty. Należy domniemywać, że listy i paczki do Biłgoraja przewożono koleją od samego początku jej istnienia. Niemniej udokumentowane przewozy datują się od roku 1933. 15 maja 1933 r. Dyrekcja Poczt i Telegrafów w Lublinie ustanowiła następujące konwoje pocztowe:

„Przełożeństwo kursu – Urząd pocztowy Zwierzyniec nad Wieprzem:

- *od stacji Zwierzyniec Wieś do stacji Biłgoraj w poc. nr 51 odj. 7.40 przyj. 9.55.*
- *od stacji Biłgoraj do stacji Zwierzyniec Wieś w poc. nr 52 odj. 13.15 przyj. 15.20."*

Nie był to specjalny wagon („ambulans pocztowy"), a tylko pracownik Urzędu Pocztowego w Zwierzyńcu, czyli jeden z tutejszych listonoszy z workiem z przesyłkami. Dziwnie brzmiące słowo „przełożeństwo" jest specyficznym terminem pocztowym.

Oprócz spraw ważnych, związek z kolejką miały też miejsce zdarzenia nieco mniejszego kalibru. I tak na przykład w lokalnej kronice kryminalnej znalazły się zapisy o kradzieży *„za pomocą włamania"* pieniędzy z kasy kolejowej 09.04.1929 na przystanku kolejowym Zwierzyniec - Wieś. Sprawcą okazał się 15-letni chłopak, który *„został ujęty wraz z gotówką, pochodzącą z tej kradzieży, w kwocie 45 zł. Po sprawdzeniu kasy przez zawiadowcę stacji okazało się brak 580 zł. Dochodzenie wdrożono."*

Stosowanie parowozów w zalesionym terenie powodowało niekiedy pożary. Na przykład 16.05.1929 o godz. 12.00 na terenie gminy Tereszpol spłonęły od iskry z parowozu 2 morgi (ok. 1 ha) lasu należącego do Ordynacji Zamojskiej.

II wojna światowa

W czasie kampanii wrześniowej 1939 r. w Biłgoraju spłonęło ponad tysiąc budynków, jednak pożar nie objął budynków stacji wąskotorowej. W rejonie stacji Biały Słup w Zwierzyńcu 16 i 17 września stacjonowała Armia „Kraków", a następnego dnia doszło tu do starcia 3. Batalionu 75 pp z Niemcami. Od 27 września do 5 października Zwierzyniec zajmowały wojska Armii Czerwonej. Nie wiemy, czy zdarzenia te wpłynęły na samą kolejkę.

W czasie okupacji, ze względu na zniszczenia dróg i rekwizycję samochodów, kolejka stała się ponownie jedynym środkiem transportu osobowego i głównym towarowego dla Biłgoraja. Kolejkę zwierzyniecką podporządkowano Deutsche Reichsbahn – a w jej strukturach Dyrekcji Generalnej Kolei Wschodniej (Ostbahn Gedob) z siedzibą w Krakowie oraz Okręgowej Dyrekcji Kolei Wschodniej (Ostbahn – Bezirksdirektion, OBD) z siedzibą w Lublinie, a od 01.08.1941 w Radomiu. W roku 1943 ustanowiono Wydział Kolei Wąskotorowych w Jędrzejowie, któremu podporządkowano naszą linię. Niemcy wprowadzili własne oznaczenia taboru, przy czym przenumerowanie nastąpiło dopiero w lutym 1942 r.

Wojna oznaczała także koniec wielonarodowego Biłgoraja z powieści Singera. W bezpośredniej bliskości kolejki hitlerowcy założyli dwa obozy: we wsi Dyle i przy stacji Rapy. Więźniowie z obozu Dyle pracowali w kamieniołomie „Gliniska" w Hedwiżynie, w tym przy załadunku na wagony, zaś jeńcy i więźniowie z obozu Rapy byli wykorzystywani do przymusowych robót przy składzie drewna na tejże stacji.

Wobec terroru hitlerowskiego w roku 1941 w okolicznych lasach pojawiły się rozmaite ugrupowania partyzanckie (AK, BCh, Rosjanie). Działały też zwykłe bandy rabunkowe. Już na początku marca 1942 r. w biały dzień, o godzinie 13.00, dokonano napadu rabunkowego na pociąg. Zrabowano pasażerom prawie 100 000 złotych (dla porównania chleb kosztował wówczas 8 zł). W miarę zbliżania się frontu nasilały się partyzanckie akcje zbrojne: 23 marca 1942 r. oddział AK „Wita" zaatakował pociąg i jadących własowców oraz zarekwirował przewożoną żywność. 15 maja 1943 r. partyzanci wysadzili w nocy pociąg koło Tereszpola, zaś 30 lipca koło Bukownicy. Zginęło wówczas 2 Niemców i 10 żołnierzy jednostek pomocniczych z Armenii. Oddział Gwardii Ludowej pod dowództwem „Maksyma" Andrzeja Flisa zaatakował 15.03.1943 stację kolejki w Rapach. Spalił się budynek stacyjny i magazyn wytwórni baraków wojskowych.

Kolejny atak miał miejsce 12 kwietnia 1944 r., kiedy to dwunastoosobowy oddział Armii Krajowej rejonu Józefów pod dowództwem „Selima" Czesława Murzacza zaatakował pociąg koło Tereszpola. Akcję dywersyjną, mającą w założeniach zniechęcić okupantów do wywożenia zboża i bydła, przeprowadzono na rozkaz komendanta obwodu AK „Orszy". Wykonanie rozkazu nie było proste i jak to w polskich warunkach wymagało improwizacji. Wybór miejsca akcji wywołał protesty żołnierzy mieszkających

Mieszany pociąg towarowo-osobowy wyjeżdża ze stacji Biłgoraj. Zwraca uwagę wysoki, francuski tender (wyprodukowany w 1905 r. dla armii rosyjskiej do parowozów typu M na tor 750 mm), dołączony do typowej Brigadelok. II wojna światowa. Ze zbiorów autora

Brigadelok z francuskim tendrem dawnej serii M w okresie II wojny w Biłgoraju. Parowóz ma zdemontowany charakterystyczny odiskiernik na kominie, natomiast numer 1574 jest numerem PKPA z DKP Radom.
Ze zbiorów H. Griebla

w okstaraliolicy, gdyż bali się oni odwetu Niemców: *„Właściwie starali się* [nas] *odwieść od tego zamiaru tłumacząc, że nigdy nie wiadomo, kiedy pójdzie transport."*

Po raz pierwszy oddział komendanta rejonu Józefów Konrada Bartoszewskiego „Wira" wyszedł na miejsce 11 kwietnia wieczorem, przy braku rozeznania co do prowadzonego ruchu kolejowego – nie sprawdzono nawet rozkładu jazdy. Po godzinie szesnastej rozkręcono szyny i czekano na pociąg, który jednak nie nadjechał. O 20.00 oddział rozszedł się do domów, jednak zdecydowano ponownie zaatakować rankiem. Rozkładowy przejazd pociągu przez Tereszpol winien mieć miejsce o godzinie 19.50. Partyzanci zapewne pospieszyli się z odwrotem. Następnego dnia część oddziału, w tym jego dowódca „Wir", nie mogła iść na akcję z powodu innych zajęć. Dowództwo przejął „Selim". Kiedy koło godziny 10.00 rano żołnierze pojawili się na miejscu, szyny były już naprawione. Nie zachowały się dokumenty kolejowe z tego okresu, więc nie wiemy, czy wieczorny pociąg się wykoleił, ale nawet jeśli tak, to nie mogło to być poważne utrudnienie, skoro usunięto je w nocy. Pociąg osobowy do Biłgoraja i jego nieświadoma niczego obsługa mija ukrytych w lesie partyzantów około godziny 13.00. Zaraz za nim jedzie lokomotywa z pustymi wagonami towarowymi. Teraz „Selim" jest już pewien, że będzie transport powrotny. I rzeczywiście, po 15.00 nadjeżdża pociąg, z tym że nie towarowy, ale pla-

Pracownicy kolejki na parowozie typu Brigadelok w roku 1943. Od lewej: zwrotniczy St. Żywot, maszynista p.Fajfer, pomocnik T. Gończarowski i konduktor M.Kuczapowski.
Ze zbiorów T.Gończarowskiego.

nowy osobowo-towarowy skład od strony Biłgoraja: *„zaczyna nas dochodzić charakterystyczny odgłos: – RKM-y na stanowiska! – komenderuje Selim. Ogarnia nas szalone podniecenie. Coraz wyraźniej słychać nadchodzącą kolejkę. Biją nam serca jak młoty, płoną twarze, spoglądamy po sobie rozognionym wzrokiem. Nagle huk RKM-u rozdziera powietrze. Transport idzie! „Jeż" jak jeleń śmiga pomiędzy drzewami, wpada na tor, zakłada trotyl i ucieka. Nadjeżdża lokomotywa ciągnąc wagony osobowe i towarowe. Lecz cóż to? Słychać tylko suchy trzask – (trotyl był zwietrzały) – maszynista zwiększa prędkość, zdobycz wymyka się. – RKM-y ognia! – ryczy Selim. Wali przeciągła seria. Z kolejki słychać piski kobiet. Z wagonów skaczą jacyś mężczyźni. Pod ogniem RKM-ów Selim biegnie do kolejki. Maszynista zwalnia bieg. Dopiero teraz Selim krzyczy: – Przerwać ogień! Chłopcy w zapamiętaniu jeszcze walą serię."*

Po wylegitymowaniu pasażerów, zresztą samych Polaków, zatrzymano trzech „szpiclów". Uwolniono siedmiu zakładników, przewożonych pod konwojem złożonym z granatowych policjantów. Policjantów rozbrojono. Na przygotowane zawczasu wozy konne załadowano zboże z dwu wagonów (około 15 t). Na zakończenie podłożono granat do paleniska parowozu: *„Huk, słup dymu i ognia. >Samowarek< wyleciał w powietrze"*. Do Zwierzyńca pasażerowie musieli iść na piechotę.

Ataków i aktów sabotażu musiało być więcej, skoro już 20 maja 1944 r. cała kolejka była nieczynna z tego powodu. Pod koniec okupacji w celu zwiększenia bezpieczeństwa kolei i szosy na odcinku od Biłgoraja do Hedwiżyna wycięto pas lasu równolegle do toru na szerokość około 100 m. Także z powodów bezpieczeństwa zmieniono rozkład jazdy tak, by ostatni pociąg zjeżdżał do Zwierzyńca przed godziną 21.00.

Okres powojenny

Tuż przed wycofaniem się Niemcy zniszczyli stację Zwierzyniec: wysadzili tory w regularnych 15-metrowych odstępach oraz wywieźli tabor. Zgodnie z relacją pracownika, Stanisława Sykuły, Niemcy wycofując się, wysadzili w powietrze budynki stacji, parowozowni oraz „wodowni" dla parowozów. Ogrom zniszczeń potwierdzają źródłowe dokumenty DOKP Lublin: na stacji Zwierzyniec zniszczony został budynek stacyjny, parowozownia z warsztatami pomocniczymi, stacja wodna, wieża ciśnień i magazyn. Z warsztatów i z odcinka drogowego w Zwierzyńcu wywieziono sprzęt i narzędzia.

Wyzwolenie Zwierzyńca nastąpiło 25 lipca 1944 r. (dzień po Biłgoraju). Okupanci wywieźli prawie cały tabor. Pozostały jedynie dwa parowozy, w tym jeden czynny; wagonów osobowych nie było wcale. Ponadto został jeden wagon bagażowy, jeden pocztowy, 10 krytych, 28 węglarek i 39 platform i wagonów leśnych. Od razu przystąpiono do napraw. Odbudowano układ torowy, a stację Zwierzyniec Wąskotorowy umieszczono w budynku przedwojennej ekspedycji stacji normalnotorowej. „Sposobem gospodarczym" zbudowano prowizoryczną parowozownię – wykorzystano drewniane elementy poniemieckich baraków wojskowych. W powiecie biłgorajskim prowadzono wówczas szeroką akcję zagospodarowywania baraków z wytwórni w Rapach.

Naprawa torów okazała się jednak łatwiejsza, niż sprowadzenie brakującego taboru. W lutym 1945 r., a więc pół roku po przejściu frontu, przedstawiciele Powiatowej Rady Narodowej w Biłgoraju złożyli w Urzędzie Wojewódzkim Lubelskim wniosek o wypożyczenie parowozów z cukrowni Klemensów w celu uruchomienia linii Zwierzyniec – Biłgoraj. Urząd Wojewódzki odpowiedział, że Dyrekcja Okręgowa Kolei Państwowych w Lublinie sprowadza *„parowozy i inne urządzenia"* z terenu województwa kieleckiego i sama linia winna być uruchomiona w ciągu 2-3 tygodni, czyli w marcu 1945 r.

W połowie czerwca 1945 r. *„w pobliżu toru kolejki wąskotorowej w połowie drogi pomiędzy Biłgorajem a lasem na Woli"* doszło do spotkania komendanta obwodu AK, Antoniego Radzika „Orkisza", którego oddział nie złożył broni, z nowym sekretarzem partii, Józefem Dechnikiem, i oficerami UB i LWP. Negocjacje doprowadziły do lokalnego „zawieszenia broni".

Już w początku roku 1945 utworzono tymczasowy Zarząd Kolei Wąskotorowej w Zwierzyńcu. Z powodu braku połączenia z Hrubieszowem (zerwany był tor na linii Hrubieszów – Zamość a linia Hrebenne – Rawa Ruska i Uhnów - Rawa Ruska przecięta została przez nową granicę ze Związkiem Sowieckim) nasza kolejka nie podlegała Hrubieszowskiej KW. Zarząd KW w Zwierzyńcu podporządkowany był działającemu od grudnia 1944 r. Wydziałowi

Zapewne z okazji świąt państwowych 1 maja lub 22 lipca wąskotorowi kolejarze demonstrowali poparcie dla Partii „budowniczki lepszego życia narodu". Zdjęcie autorstwa Z.Koryszko.

Kolei Wąskotorowych Resortu Komunikacji. Następnie, aż do 1955 r., kolej zwierzyniecka była zarządzana z Hrubieszowa, podobnie jak przed wojną. W 1955 r. nastąpiła reorganizacja i powstał Zarząd Kolei Dojazdowych w Chełmie przy DOKP w Lublinie, któremu podporządkowano m.in. Hrubieszowską Kolej Dojazdową i Zwierzyniecką Kolej Dojazdową. Zmieniono wówczas formalnie nazwę z kolei „wąskotorowej" na „dojazdową". Linia stanowiła, podobnie jak przed wojną, jeden odcinek drogowy, posiadała pięć nieobsługiwanych oraz dwie obsługiwane stacje i mijanki (Zwierzyniec i Biłgoraj). Zatrudnienie było znacznie wyższe niż przed wojną i wynosiło około 100 pracowników. Wiadomo, że od 4 maja 1947 r. kolejką wożono pocztę. Podobnie w okresie międzywojennym nie było oddzielnego ambulansu pocztowego, a jedynie tak zwany konwój. W praktyce oddelegowany pracownik z Urzędu Pocztowego w Zwierzyńcu jechał z workiem przesyłek do Biłgoraja pociągiem o 10.30, a wracał z powrotem o 13.10.

We wczesnych latach powojennych kolejkę nie tylko odbudowano (między innymi w 1947 r. przebudowano dwa mosty, w 1949 r. kolejny), ale i wyznaczano jej coraz to wyższe zadania przewozowe. I tak np. w 1951 r. nie został osiągnięty planowany poziom *„przeciętnego załadunku statycznego wagonów i przeciętnego dobowego przebiegu parowozu czynnego. Pierwsze wynika z przewozu towarów lekkich jak zwrotne opakowania (skrzynie) oraz meble. Drugie tym, że na pracę manewrową (krótką) wysyłano specjalny parowóz zamiast wykonać ją parowozem od pociągów stałych."* Zwołana 27.02.1952 w związku z powyższym „narada wytwórcza" w Zwierzyńcu przede wszystkim obwarowała wykonanie planu na 1952 r. dostarczeniem brakujących narzędzi i materiałów torowych. Ponadto tłumaczono się z niewykonania planu za 1951 r. m.in.: opóźnieniami w *„obtaczaniu zestawów od wagonów osobowych wysyłanych do Gozdowa* [Hrubieszowska Kolej Dojazdowa], *oraz masowymi wysyłkami żywca, konopi i opakowania zwrotnego po jajach"*. Odbiorcą owych opakowań (a zapewne i nadawcą pełnych) była Rejonowa Zbiornica Jaj w Biłgoraju.

Ówczesne dokumenty rażą partyjną nowomową. W trakcie wyżej wspomnianej narady stwierdzono, że *„w razie silnego napływu wagonów w porze wiosennej pożądane jest zmusić firmę >Przeładunek< do dokonywania przeładunków w porze nocnej".*

Niewątpliwie jednak był to złoty okres kolei wąskotorowych. Rosnące przewozy skłaniały ku projektowaniu dalszych połączeń. I tak już w 1945 r. pojawił się projekt budowy kolejki wąskotorowej Biłgoraj – Tarnogród – Krzeszów – Rudnik. Mimo sprzeciwu Ministerstwa Komunikacji Powiatowa Rada Narodowa postanowiła zrealizować ten projekt w ramach planu 3-letniego w 1947 r. Wstępny kosztorys budowy kolejki wąskotorowej zamykał się kwotą 75 913 000 zł. PRN przeznaczyła na ten cel w budżecie kwotę 49 808 000 zł oraz zapewniała dostarczenie podkładów i wykonanie prac ziemnych. Sprawą miał się ponoć zająć nawet Sejm PRL, jednak projekt ten nie doczekał się nigdy realizacji.

W 1953 r. Biuro Planowania DOKP Lublin przewidywało na rok 1955 budowę linii z Biłgoraja do Tarnogrodu (24 km), *„która obejmie swym zasięgiem przemysł ceramiczny o wydajności do 12 mln cegły rocznie oraz sieć PGR* *i POM."* oraz linię z Biłgoraja do Wysokiego przez Frampol i Turobin (43 km) do budowanej wówczas cukrowni Turobin. W Wysokiem chciano ją połączyć z linią cukrowni Klemensów (plan na rok 1956). W 1956 DOKP Lublin podnosiło też kwestię przejęcia kolei leśnej do Lipy.

Z drugiej jednak strony już we wczesnych latach pięćdziesiątych stwierdzono, że niewykorzystane zdolności przewozowe kolejki spowodowane są tym, że: *„wielu usługobiorców kolei wąskotorowych korzysta z transportu samochodowego, który jest dla nich wygodniejszy [...]. Pomimo walki, jaką toczy aparat komunikacji Wojewódzkiej Komisji Planowania Gospodarczego Lublin z przewozami masy towarowej samochodami gospodarczymi trwają one nadal".* Już w 1953 r. samochodami gospodarczymi poszczególnych przedsiębiorstw dowożone były ze Zwierzyńca do Biłgoraja *„towary przemysłowe dla GS, w odwrotnym zaś kierunku zboże i żywiec w ilościach zależnych od podaży".* Jak widać, przewozy liniami PKP, planowane na lata naprzód, nie zaspokajały zmiennych potrzeb. Warto też zanotować opisane tu początki przewozu towarów masowych samochodami, co obecnie jest jednym z podstawowych problemów transportowych Polski.

Połączenie z koleją leśną Lipa – Biłgoraj

W czasie II wojny światowej Niemcy rozpoczęli budowę kolei leśnej o prześwicie 600 mm z Lipy przez Lasy Janowskie w kierunku Biłgoraja. Udało się im jednak wybudować jedynie odcinek długości 20 km do Łążka Ordynackiego. Dalsze prace Lasy Państwowe podjęły w 1945 r., ale do Biłgoraja kolej dotarła dopiero w 1952 r. Ostatni odcinek od Bukowej do Biłgoraja budowała Spółdzielnia Przemysłowo-Budowlana „Budowa" z Lublina. Ta sama firma zbudowała w Biłgoraju nową parowozownię (4 tory i 8 stanowisk) i trójkąt do obracania parowozów. 17 listopada 1950 roku w Wydziale Kolei Wąskotorowych odbyła się konferencja na temat połączenia obu linii. Ustalono, że połączenie zostanie wykonane przez pracowników PKP z materiałów kolei leśnej, nadesłanych do stacji w Biłgoraju. Łącznica została poprowadzona po trasie obecnych ulic gen. Bora – Komorowskiego, Konopnickiej i Wiejską. W sprawozdaniach planistycznych z wczesnych lat 50. powtarzana jest nadzieja na radykalne zwiększenie przewozów na połączonych liniach.

W ramach planu 5-letniego 1951-1955 na 1953 planowano przejęcie linii Lipa – Biłgoraj od Lasów Państwowych w celu zwiększenia przewozów i ruchu osobowego *„na terenach wybitnie upośledzonych pod względem dróg bitych. W tej sprawie ciągle interweniuje miejscowa ludność. Ostatnio jesteśmy w posiadaniu zażalenia tamtejszej ludności skierowanego do >Fali 49[2]<".*

Oficjalną nazwę kolejki zmieniono na „Kolejka Leśna Lipa – Biłgoraj". Tymczasem odcinek od Bukowej do Biłgoraja wykorzystywany był rzadko: okazjonalnie wożono drewno, mienie przesiedleńcze, pracowników po wypłatę. Łącznica nie spełniła pokładanych w niej nadziei zwiększenia przewozów. Nie doszły też do skutku projekty przejęcia kolejki leśnej przez PKP – najprawdopodobniej w efekcie komisyjnie stwierdzonego złego stanu linii, nie spełniającej wymogów technicznych PKP. Już w roku 1954 (a więc po dwu latach od wybudowania) parowozownia była nieużywana i wymagała kapitalnego remontu wadliwie wykonanego dachu. Z tego powodu chętnie przyjęto propozycję jej wydzierżawienia i 15.7.1954 Lasy Państwowe podpisały stosowną umowę z PKS Ekspozytura w Kraśniku, która to firma zaadaptowała ją na potrzeby bazy samochodowej. Budynek ten spełnia tę rolę do dzisiaj.

W sierpniu 1955 roku Rejon Eksploatacji Dróg Publicznych w Kraśniku wydzierżawił plac kolejki w Biłgoraju, gdzie założono bazę i rozładowywano kamień dostarczany kolejką zwierzyniecką. 04.06.1956 Lasy Państwowe udzieliły zgody na korzystanie ze swoich torów w Biłgoraju do załadunku żywca przez Lubelskie Okręgowe Przedsiębiorstwo Obrotu Zwierzętami Rzeźnymi Oddział Powiatowy w Biłgoraju. Tory te zbadała wówczas komisja PKP i nakazała ich naprawę. Dotyczyło to także torów użytkowanych przez Rejon Dróg Publicznych.

Potwierdzenie faktu, że zaprzestano eksploatacji odcinka Bukowa – Biłgoraj odnaleźć można w dokumentach z 1956 roku, w których przewidziano remont linii telefonicznej wyłącznie na odcinku Lipa – Bukowa, zaś odcinek toru kolejki leśnej od kilometra 42 do 57 (tj. do Bukowej do Biłgoraja) traktowany był jako nieczynny. Z drugiej strony jeszcze w maju 1956 r. PRN Biłgoraj zleciło przewóz surowca tartacznego z Bukowej do Biłgoraja. Rozbiórka łącznicy i odcinka kolei leśnej z Bukowej do Biłgoraja na-

[2] „Fala 49" to popularna wówczas audycja radiowa

Zdjęcie lotnicze z 1958r. terenu stacji Biłgoraj i łącznicy z kolejką leśną. Stacja PKP Biłgoraj widoczna jest prawej, górnej części zdjęcia (lit.A). Przed budynkiem widać pociąg z parowozem gotowym do odjazdu w stronę Zwierzyńca oraz tory trójkąta (lit.B). Łącznica wyprowadzona jest łukiem(lit.C) w stronę dołu zdjęcia, gdzie też łatwo dostrzec jasny dach parowozowni kolei leśnej (lit E), jednak nie widać koło niej żadnego taboru. Początek toru do Lipy widoczny jest w lewo od tego budynku (lit.D). Zdjęcie ze zbiorów CODGiK, Warszawa

stąpiła jeszcze przed 1963 r., niestety nie są znane bliższe szczegóły. Pewne jest, że gdy w roku 1964 linię PKP przekuto na rozstaw 750 mm, połączenie z kolejką leśną już nie istniało.

Kolejka leśna istniała i pracowała znacznie dłużej niż „nasza" linia. Ostatecznie zlikwidowano ją w roku 1983. Pamiątką po niej pozostał skansen w Janowie Lubelskim.

Modernizacja i likwidacja

W latach 1952-1954 prowadzono jedynie niezbędne prace remontowe – wymieniano rozjazdy i mosty. Pomimo ambitnych planów do poważniejszej modernizacji linii przystąpiono dopiero w latach 60. Już w roku 1958 uchwałą Powiatowej Rady Narodowej został powołany Społeczny Komitet Budowy Kolei w Biłgoraju, na czele którego stanął Józef Dechnik (I Sekretarz KP PZPR, energiczny działacz lokalny). W ciągu kilku lat zgromadzono znaczne sumy na budowę kolei normalnotorowej oraz prowadzono intensywne starania o realizację tego projektu. Koszty przebudowy pokrył Społeczny Komitet Budowy Kolei. Według niektórych relacji pieniądze pochodziły z dodatkowego opodatkowania sprzedaży alkoholu w Biłgoraju.

Trudno dziś ustalić, czy i w jakim stopniu działania te wpłynęły na decyzję PKP o przekuciu kolejki na rozstaw 750 mm. Stało się to latem 1964 w okresie maj-październik. Większy rozstaw toru umożliwiał zastosowanie transporterów, czyli przewożenie wagonów normalnotorowych na specjalnych platformach wąskotorowych wprost do odbiorcy, bez kosztownego i czasochłonnego przeładunku w Zwierzyńcu. Na tor 600 mm nie budowano już praktycznie nowego taboru, na 750 owszem. Sprowadzono nowe i mocniejsze parowozy – przede wszystkim serii Px29 i Px48 oraz wagony motorowe do obsługi ruchu osobowego. Wyeliminowanie poboru wody w Hedwiżynie i zwiększenie prędkości handlowej z 13 do 26 km/h skróciły czas przejazdu z 2 do niespełna 1 godziny.

Ówczesna prasa donosiła: *„gdy w maju br. zawieszono kursowanie kolei wąskotorowej o rozstawie torów 600 mm nikt nie wierzył, iż przebudowa zakończy się na jesieni br. Ba, chwile zwątpienia przeżywali jeszcze przed tygodniem nawet sami budowniczowie...".* Przy okazji wspomniano o dążeniach Biłgoraja do budowy linii normalnotorowej.

Zmiana szerokości toru przeprowadzona była poprzez zdemontowanie toru 600 mm (ekipy rozbiórkowe posuwały się od Biłgoraja do Zwierzyńca) oraz następnie zbudowanie nowego torowiska 750 mm (prace posuwały się w kierunku przeciwnym), tam gdzie wymieniano też podkłady. Na odcinkach, które tego nie wymagały, przesuwano jedną nitkę szyn. Na cięższe wymieniono wszystkie lekkie szyny, łącznie na długości 18 km. Część nowych podkładów rozwożono samochodami. O organizacji i przebiegu przekucia wiemy bardzo

Jedyne znane zdjęcie z prac przy przekuciu pochodzi z albumu „Zamojszczyzna – kronika walki i pracy 1939-1969" (Lublin 1970). Widać zdjętą wierzchnią warstwę starej podsypki, ułożono nowe podkłady, przygotowano podkładki i przystąpiono do układania nowych, cięższych szyn

Uroczyste otwarcie ruchu po przekuciu 10.10.1964. Z przodu widoczny wagon motorowy 121, za nim drugi wagon motorowy (190) i osobowy typu 3Aw. Zgromadzony tłum to w większości młodzież szkolna. Ze zbiorów P. Staszewskiego

niewiele. W porównaniu z podobnymi operacjami przeprowadzanymi na innych liniach wąskotorowych w Polsce niewątpliwie zwraca uwagę późne jej wykonanie (większość linii przekuwano w latach 50.) oraz długi czas wstrzymania ruchu, związany zapewne z szerokim zakresem prac.

Przy przekuciu zmieniono też układy torowe na stacjach, w szczególności zlikwidowano wówczas pętlę na stacji Zwierzyniec i zastąpiono ją trójkątem. Również w tym okresie skasowano trójkąt na stacji Biłgoraj i zastąpiono go sprowadzoną z Jeleniej Góry obrotnicą. Była to przerobiona

Parowóz Px48 wyczyszczony i udekorowany na uroczystości otwarcia ruchu 1964 r. Autor: Z.Koryszko

Pociąg transporterowy na szlaku. Parowóz serii Px29, za nim kryty wagon normalnotorowy na transporterze. Ze zbiorów Muzeum Ziemi Biłgorajskiej

z normalnotorowej obrotnica z roku 1908 o średnicy 12,5 m, udźwigu 60 t i ciężarze własnym 20 t. Nie posiadała napędu, obracanie jej razem z parowozem czy wagonem odbywało się ręcznie. Na kilku stacjach wydłużono tory główne i ładunkowe. Montaż przęsła obrotnicy oraz prace ziemne na odcinku Szozdy – Tereszpol (tzw. „kanion") wykonywał Powiatowy Zarząd Dróg Lokalnych z Biłgoraja (późniejszy wykonawca odcinka linii normalnotorowej i LHS) pod kierownictwem Stanisława Stepanowa. Uroczystości otwarcia ruchu na zmodernizowanej wąskotorówce odbyły się 10.10.1964.

Pomimo przekucia w 1964 r. pierwsze transportery (11 sztuk) dotarły na linię zwierzyniecką dopiero 11.08.1965, a więc rok później. Regularny ruch towarowy na transporterach wprowadzono od 8 września 1965 r. W związku z tym skorygowano nieco rozkład jazdy. W tym czasie musiała być też zbudowana rampa (zapadnia) transporterowa na stacji Zwierzyniec. Niedobór transporterów był powodem, dla którego do końca istnienia linii prowadzono ręczny przeładunek. Kolejne transportery przybywały 12.12.1965 – 6 sztuk, 02.05.1966 – 3 sztuki, 03.02. i 21.06.1967 – po 2 sztuki oraz 10.12.1969 – 5 sztuk, co nadal nie pokryło zapotrzebowania. Planowanie PKP najwyraźniej zawodziło, gdyż następne 3 transportery dotarły do Zwierzyńca 27.03.1971, a więc miesiąc przed zamknięciem linii.

Ponadto planowano zmodernizować (1966 r.) instalację energetyczną na stacji Zwierzyniec oraz zbudować nową trzytorową parowozownię (ukończona dopiero ok. 1972 r., a więc po likwidacji kolejki). Moc zainstalowanych urządzeń elektrycznych wzrosła z 21 kW w roku 1957 do 73,8 kW w roku 1963. W tych latach na stacji Zwierzyniec przybył też drugi żuraw wodny.

Jedną z ostatnich inwestycji było zbudowanie około 1969 roku bocznicy do Zakładów Wapienno-Piaskowych w Hedwiżynie. Dla zakładów zamówiono nawet w roku 1970 lokomotywę spalinową typu 2WLs50 (produkcji ZNTK Poznań, nr fabryczny 2070 z roku 1970). Relacje pracowników kolejki potwierdzają jej zastosowanie do manewrów na terenie zakładu i odbioru wagonów z torów PKP.

Tymczasem konsekwentne dążenie miasta Biłgoraj do budowy linii normalnotorowej zaczęło przynosić skutki. Władze centralne wyraziły zgodę na taką inwestycję, zwłaszcza że Biłgoraj deklarował pokrycie części kosztów i wykonanie części prac. Ostatni pociąg wąskotorowy odprawiono z Biłgoraja 9 maja 1971 r. Do dnia poprzedzającego Wigilię tego roku, kiedy to otwarto uroczyście linię normalnotorową (23.12.1965), transport osobowy i towarowy odbywać się musiał samochodami. Jako ciekawostkę można podać, że w momencie likwidacji wartość środków trwałych kolejki wynosiła łącznie ponad 33 miliony ówczesnych złotych, a według wartości początkowej było to nieco ponad 50 milionów.

Formalności nie nadążyły za rzeczywistością: ustawowo likwidacja nastąpiła dopiero „Zarządzeniem Ministra Komunikacji z 22.01.1972 r. w sprawie zmian w wykazie odległości taryfowych PKP", które to weszło w życie 15.02.1972. W załączniku do tegoż zarządzenia, z 22 stycznia 1972 r., w Wykazie Odległości Taryfowych skreślone zostały dane dotyczące stacji wąskotorowych: Biłgoraj, Bu-

Ślady torowiska w okolicy Hedwiżyna, widok w stronę stacji Hedwiżyn i Biłgoraja. Widoczna budka dla obsługi bocznicy do Zakładów Wapienno-Piaskowych, po prawej stronie szosa Hedwiżyn – Biłgoraj Zdjęcie autora z 2005r.

kownica, Hedwiżyn, Rapy, Szozdy, Terespol Wąsk. i Zwierzyniec Wąsk. Tak więc jeszcze pół roku po zamknięciu wąskotorówki można było nadawać przesyłki na jej stacje, co więcej, Sieciowy Rozkład Jazdy PKP ważny od 23.05.1971 zawierał nadal linię nr 556 Zwierzyniec – Biłgoraj. Na nieistniejącej wąskotorówce nie planowano większych zmian rozkładu względem ostatnio obowiązującego...

Grunty byłej kolejki, niewykorzystane pod trasę normalnotorową, PKP przekazało Lasom Państwowym w roku 1975. Tym samym zakończyła się historia kolei wąskotorowych w regionie Biłgoraja.

Stan obecny

Do dzisiaj zachowane ślady kolejki to przede wszystkim oryginalne austriackie budynki stacji Biłgoraj (na terenie obecnego Dworca PKS), Tereszpol i zbudowany w 1959 r. budynek stacyjny w Hedwiżynie. W Tereszpolu i Hedwiżynie istnieją też drewniane magazyny toromistrzów.

Współczesny widok budynku zbudowanego już po likwidacji kolejki, projektowanego jednak jako nowa, trzytorowa lokomotywownia

Drewniana szopa toromistrza, drezynownia. Hedwiżyn 2004 r. Zdjęcie autora z 2005r.

Zachowały się też budynki tzw. parowozowni (zrujnowanej, nigdy nie była wykorzystywana do swoich celów) i biur w Zwierzyńcu obok stacji normalnotorowej Zwierzyniec Towarowy oraz dość czytelne ślady na szlaku. Z wyjątkiem odcinków, na których trasę normalno- i szerokotorową poprowadzono po dawnym torowisku wąskim widoczne są nasypy względnie przekopy. Nieopodal obecnej stacji Tereszpol widoczne są pozostałości po wąskotorowym przekopie. Na północ od wsi Bukownica łatwo odnaleźć ślad toru wśród wzgórz.

W lesie dobrze widoczne są też ślady pierwotnego toru przez Wolę Małą oraz nasypy przy nieistniejącym tartaku w Hedwiżynie. Nie zachował się „Malowany Most", natomiast po innych przepustach na linii pozostały czytelne, choć ukryte w zaroślach przyczółki. Liczne ślady po kolejce ordynackiej opisano w rozdziale jej poświęconym.

Dane ogólne

Kolej Zwierzyniec – Biłgoraj poprowadzona została pagórkowatymi i lesistymi terenami Roztocza, a dalej na zachód Równiny Biłgorajskiej. Trasa wspinała się stromo (do 26,8 ‰) na grzbiet Wału Roztoczańskiego a następnie równie stromo (do 28‰) opadała w dół aż do wsi Tereszpol.

Profil podłużny (ok. 1961)

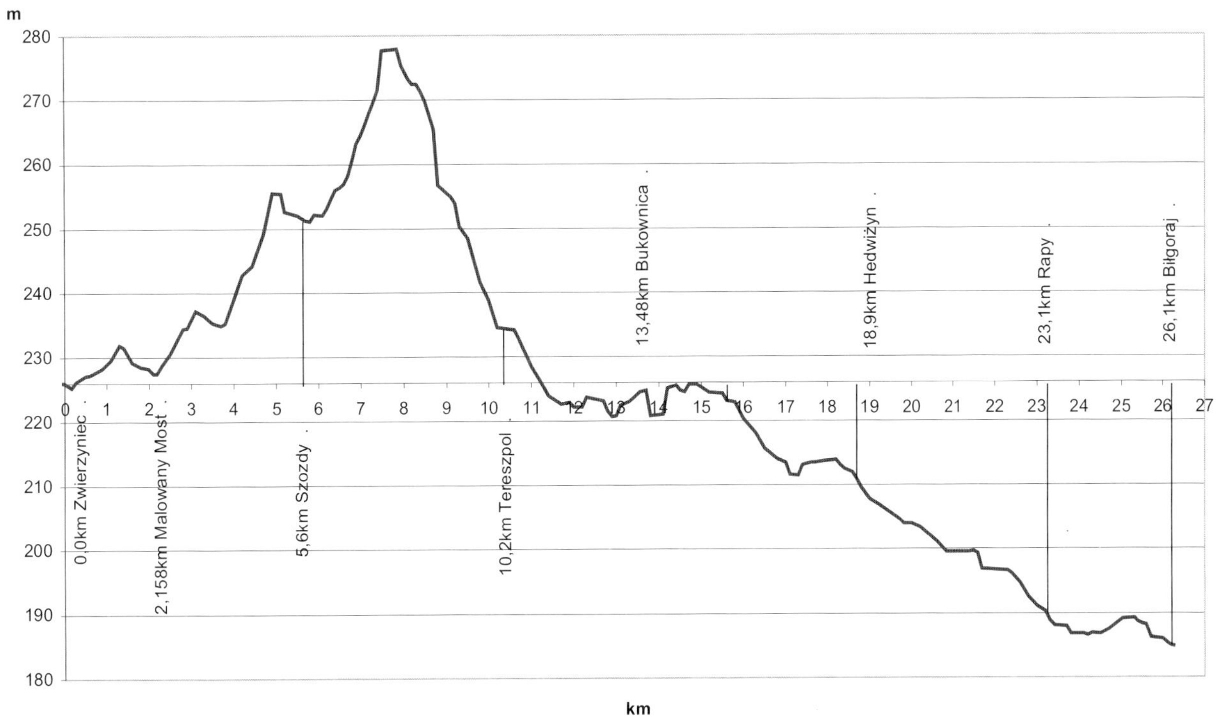

Następny odcinek w okolicach Bukownicy był falisty, jednak na zbliżonym poziomie. Stąd aż do Biłgoraja trasa znów opada, choć już nie tak stromo jak poprzednio (do 11‰). Najwięcej łuków i związanych z nimi ograniczeń prędkości (do 15 km/h) było na odcinku Tereszpol – Hedwiżyn.

Najwcześniejsze szkice i schematy stacji pochodzą z czasu modernizacji przez LFB1 w roku 1917. Dane w okresie międzywojennym są szczątkowe i opierają się o archiwalia Ordynacji Zamojskiej oraz o sprawozdania PKP, tworzone dla potrzeb ewidencji wojskowej. Brak zupełnie danych z okresu okupacji niemieckiej i z pierwszych lat po wyzwoleniu. Z lat 50. zachowały się dokumenty PKP, w tym dokładne plany całej linii. Przekucie na szerokość toru 750 mm nie zmieniło zasadniczo profilu ani przebiegu: pogłębiono nieco przekop niedaleko wsi Szozdy, ale nadal największe pochylenie wynosiło 28‰, a najmniejszy promień łuków 80 m (w 16 km linii). Nie udało się natomiast odnaleźć planów stacji po przekuciu w 1964 r. Dysponujemy jedynie planem stacji Zwierzyniec, pozostałe informacje zachowały się tylko w postaci opisowej. Jest to dziwne, zważywszy, że musiały istnieć plany, choćby szkicowe, niezbędne do wykonania samego przekucia. Co ciekawe, projektanci linii normalnotorowej w roku 1970 także posługiwali się starymi planami linii 600 mm.

Brak jest informacji o rodzajach szyn stosowanych w pierwszych okresach pracy kolejki. Wiemy, że w 1938 roku dopuszczalny nacisk osi wynosił 5 000 kg. W roku 1963 w torach głównych położone były różne rodzaje szyn o wa-

Pociąg towarowy z parowozem Px48 na łuku w okolicy Szozd. Ze zbiorów Muzeum Ziemi Biłgorajskiej

dze od 12 do 29 kg/m, zaś w bocznych lżejsze – nawet od 11 kg/m. Dominowały szyny typu lekkiego i staro użyteczne typu średniego. Przy przekuciu w 1964 r. wymieniono je na cięższe o wadze 24 do 33,5 kg/m. Zmiany udziału różnych typów szyn w torach głównych (w km) ilustruje tabela 3.

W latach 1952-1954 większość rozjazdów wymieniono na nowe. Ponowna wymiana miała oczywiście miejsce w momencie przekucia. Liczbę rozjazdów w latach 1963-1970 zestawiono w tabeli 4.

W roku 1961 na linii było 32 tysiące podkładek, ale brakowało 82 tysięcy, czyli większość mocowań była „bosa" (szyna bezpośrednio przytwierdzona hakiem do podkładu). Przy przekuciu zmniejszono liczbę łubków, czyli elementów łączących dwie sąsiednie szyny, oraz wymieniono podkłady 3W na typ 2W (oba typy drewniane). Szyny mocowano na haki, zarówno przed, jak i po przekuciu, jednak uzupełniono brakujące podkładki. W momencie likwidacji (inwentaryzacja końcowa odbyła się 31 maja 1971 r.) na linii były 53 roz-

Przebieg linii w terenie nie zmienił się od czasów I wojny do likwidacji

typ szyn	1961	1962	1963	1964	1965
lekki	16,584	15,029	14,185	-	-
średni staro użyteczne	3,873	3,873	3,873	-	-
ciężki	6,455	7,483	8,327	26,384	26,384
razem:	26,911	26,384	26,384	26,384	26,384

Tabela 3. Zmiany udziału różnych typów szyn w torach głównych (w km)

Rok	1963	1964	1965-69	1970
tor główny	32	18	21	21
tory boczne	22	29	30	31
razem	54	47	51	52

Tabela 4. Liczba rozjazdów w latach 1963-1970

jazdy oraz 43 204 podkłady, w tym 240 betonowych, pozostałe drewniane. W paszportach linii wykazany jest całkowity brak podsypki przez rokiem 1964 (jedynie w 1963 wspomniano o pospółce, czyli gruncie rodzimym). Mogło to wynikać z braku jej wymiany w latach poprzedzających. W 1964 r. wykonano wymianę podsypki na długości 4,5 km, w 1965 – 20,5 km, a w 1967 r. cała linia miała nową podsypkę.

W latach 60. XX wieku na linii były 42 przejazdy drogowe, przy czym w większości z drogami leśnymi i polnymi. Strzeżone przejazdy były w Zwierzyńcu – zaraz za stacją na szosie do Józefowa, równolegle do torów normalnych (obsługiwana przez dróżnika na miejscu) oraz w km 28,128 w Biłgoraju (obsługiwany przez zwrotniczego).

Kolej zwierzyniecka nie posiadała dużych obiektów inżynieryjnych. Co prawda, łącznie było aż 17 przepustów i 4 mosty, ale pamiętać trzeba, że największy z nich miał prześwit jedynie 4 metry. Znajdował się on w km 23,5, a więc niedaleko przed stacją Biłgoraj. Bardziej znany, zapewne z powodu swej nazwy, był most nad strumieniem Świerszcz – „Malowany Most". Niestety, nie zachowały się żadne rysunki mostów. Przed wojną wszystkie miały konstrukcję drewnianą, a w latach 50. przebudowywano przez dodanie jedynie belek stalowych jako legarów opartych na przyczółkach drewnianych. Podczas przekucia nie były już modernizowane.

W czasie I wojny światowej linię podzielono na 4 odcinki drogowe, w okresie późniejszym PKP zmniejszyły ich liczbę do jednego. Pierwotnie Austriacy planowali budowę trzech stacji: Zwierzyniec, Tereszpol i Biłgoraj oraz przystanków i ładowni w: Szozdach, Bukownicy, Hedwiżynie Kamieniołomie, Woli i Woli Tartaku. Zamierzano też zbudować ładownie w Zwierzyńcu Wsi, w Kamieniołomie (km 18) i tartaku w Woli. Na wszystkich stacjach i przystankach (za wyjątkiem Bukownicy i krótko istniejącej mijanki Bojary) już w czasie I wojny światowej zbudowano drewniane budynki stacyjne o dwuspadowych dachach.

Organizacja

Dane wskazują, że od początku istnienia linii ruch pociągów prowadzono na podstawie zapowiadania telefonicznego. Wzdłuż całej linii zbudowano już w czasie I wojny napowietrzną linię telefoniczną na słupach drewnianych, do której włączono telefony poszczególnych punktów eksploatacyjnych. W latach 60. łączność telefoniczną zapewniały centralki MB 1DNN.

Liczba stacji obsadzonych zmieniała się w czasie. W roku 1921 wszystkie stacje miały obsługę, do 1926 r. zlikwidowano ją w Szozdach, Bukownicy i Rapach, do 1929 r. w Jadwiżynie, a do 1933 r. w Tereszpolu. Szczegóły czynności prowadzonych na poszczególnych stacjach Kolci Zwierzynieckiej w latach okresu międzywojennego (w oparciu o źródła opracowane przez W. Dembińskiego oraz o Wykaz Odległości Taryfowych PKP z 1959 i 1966 r.) zawiera tabela 5.

Analiza powyższego zestawienia wskazuje, że w okresie międzywojennym dopiero od roku 1933 i tylko w Biłgoraju kupować można było bilety do stacji innych niż na kolejce zwierzynieckiej. Jadąc w świat np. z Bukownicy bilet do Zwierzyńca kupić trzeba było w pociągu, następnie po dotarciu tamże kupić drugi bilet na dalszą drogę. Zwra-

Stacje	1926	1929	1930	1933	1938	1959	1966
Zwierzyniec Wieś Wąsk.	-	-	-	Δ O Bp W Dr[4) 7)]	Δ O Bp W Dr[1]	-[8)]	-
Zwierzyniec Wąsk.	Δ = Z R	Δ = Z R	N = Z R	Δ = Z R	Δ = Z R	= N Z	= N Z
Szozdy	Δ Op Bk W[1)]	Δ Op Bp W[3)]	W[3)]	Δ Op Bp W Dr[4) 1)]	Δ Op Bp W Dr[1]	Op[1)]	Op[1)]
Tereszpol	Δ =	Δ = M	=	Δ Op Bp W Dr[4) 1)]	Δ Op Bp W Dr[1]	Od, Wu[1)]	Od[1)]
Bukownica	Δ Op Bk W[2)]	Δ Op Bp W[3)]	W[3)]	Δ Op Bp W Dr[4) 1)]	Δ Op Bp W Dr[1]	Op, Wu[9) 1)]	Op[1)]
Hedwiżyn	Δ =	Δ Op Bp W[3)]	W[3)]	Δ Op Bp W Dr[4) 5)]	Δ Op Bp W Dr[6]	Op, Wu[9)]	Op[1)]
Rapy	Δ Op Bp W	Δ Op Bp W[3)]	W[6)]	Δ Op Bp W Dr[4) 6)]	Δ Op Bp W Dr[6]	Op, Wu[6)]	Op, Wu[1)]
Biłgoraj	Δ = Z	Δ = Z M	= Z M	= Z M	= Z M	O Bp W N	O, B, E, W, N

Tabela 5. Szczegóły czynności prowadzonych na poszczególnych stacjach Kolei Zwierzynieckiej w latach okresu międzywojennego

Uwaga: Dla roku 1930 podane są jedynie dane obejmujące tylko i wyłącznie ruch towarowy
W roku 1921 na wszystkich stacjach prowadzono pełen zakres czynności ekspedycyjnych.
W roku 1945 obsługiwane były jedynie dwie stacje (zapewne Zwierzyniec i Biłgoraj).

Oznaczenia:

Δ – stacja kolei wąskotorowej, otwarta dla ruchu osobowego i bagażowego tylko w komunikacji wewnętrznej tej kolei
= – stacja wykonuje wszystkie czynności ekspedycyjne z wyjątkiem odprawy zwierząt
B – odprawa bagażu na stacji nadania
Bk – ruch bagażowy z odprawą (nadaniem) i opłatą w pociągu
Bp – ruch bagażowy z odprawą (nadaniem) w pociągu za opłatą w stacji przeznaczenia
Dr – przesyłki drobnicowe pospieszne i zwyczajne
E – stacja otwarta dla przesyłek ekspresowych
M – magazyn towarowy
N – stacja wykonuje czynności ekspedycyjne w niedziele i święta, w ograniczonym zakresie, dostosowanym do warunków i potrzeb miejscowych, w myśl przepisów taryfowych i ogłoszeń w poszczególnych okręgach dyrekcyjnych
O – ruch osobowy z opłatą przy kasie
Od – odprawa osób w porze dziennej w kasie, w porze nocnej w pociągu
Op – ruch osobowy z opłatą w pociągu
R – rampa ładownicza boczna
W – przesyłki wagonowe
Wu – stacja otwarta dla odprawy przesyłek wagonowych na podstawie umowy
Z – załadunek i wyładunek żywych zwierząt

1) stacja obsługująca – Zwierzyniec Wąsk.
2) stacja obsługująca – Jadwiżyn
3) stacja obsługująca – Terespol Wąsk.
4) odprawa drobnicy od 1.03.1935 r.
5) stacja obsługująca – Zwierzyniec Wąsk., a od 1.03.1935 r. – Biłgoraj
6) stacja obsługująca – Biłgoraj
7) stacja czynna od 15.05.1933 r.
8) stacja czasowo nieczynna
9) Wu skreślone

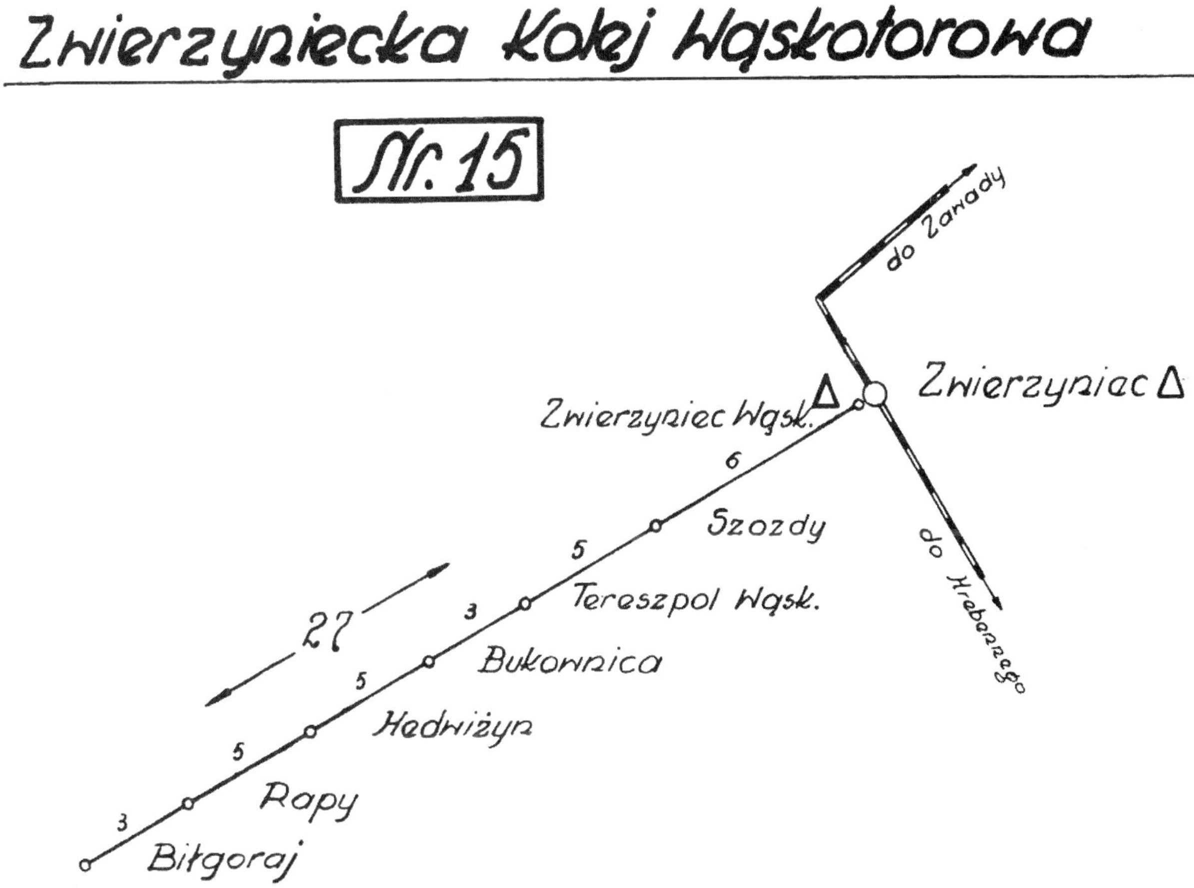

Schemat linii z zaznaczonymi odległościami taryfowymi. Ze zbioru T. Gończarowskiego

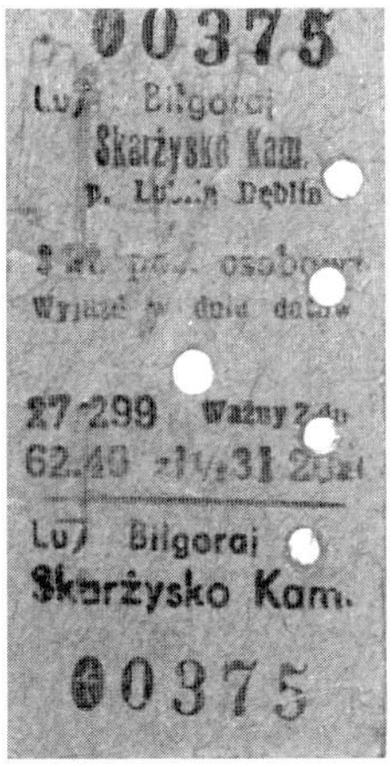

Jedyny znany autorowi bilet zwierzynieckiej wąskotorówki. Był to kartonik sprzedawany w kasie stacji Biłgoraj dla relacji Biłgoraj – Skarżysko Kamienna, a więc łączony na odcinek wąsko- i normalnotorowy. Na bilecie zaznaczono obie odległości: 27 km wąskotorówką i 299 km koleją normalnotorową. Nie wiemy, dlaczego wydrukowano bilety kartonowe akurat dla tej relacji i ile rodzajów biletów dla relacji poza stacjami wąskotorówki sprzedawano w Biłgoraju. Bilet datowany jest 04.09.1958, klasy III, kosztował 62,49 zł. Ze zbiorów autora.

ca uwagę fakt, że przesyłki towarowe (wagonowe) przyjmowano na każdej stacji.

W roku 1959 nieczynna już była ładownia w Szozdach, w pierwszej połowie lat 60. zaprzestano odprawy przesyłek wagonowych z Bukownicy i Hedwiżyna. W latach powojennych obsadzone były jedynie stacje Zwierzyniec Wąsk. i Biłgoraj, natomiast w Tereszpolu w porze dziennej czynna była kasa biletowa.

W latach 60. obsadzone były jedynie stacje końcowe, na wszystkich pozostałych bilety kupić można było jedynie w pociągu. W kasach stacyjnych sprzedawano bilety kartonikowe, natomiast konduktorzy w pociągu sprzedawali bilety strefowe, oddzierając odpowiednią ich część. Było to konieczne zwłaszcza wobec braku obsady na przystankach poza stacjami końcowymi.

Poniższy opis bazuje na kilometrażu trasy z roku 1955, a więc łącznie z odcinkiem Zwierzyniec Wieś – Zwierzyniec Wąsk. (po ok. 1955 r. linię skrócono do Zwierzyńca Wąsk. i zmieniono kilometraż o 2,068 km). Rozpocznijmy zatem podróż w czasie i przestrzeni – rozglądając się uważnie po drodze, prześledzimy całą trasę od Zwierzyńca do Biłgoraja.

0,0 km – Zwierzyniec Wieś Wąsk. i bocznice do zakładów w Zwierzyńcu

Nasza podróż rozpoczyna się w Zwierzyńcu. Odcinek od stacji Zwierzyniec Biały Słup do osady, projektowany już przez Austriaków w czasie I wojny, najpewniej zbudowany został dopiero w okresie międzywojennym (ok. roku 1922) jako bocznica do zakładów Ordynacji (tartaku, elektrowni i terpentyniarni). Od 15.05.1933 r. PKP rozpoczęły na nim ruch publiczny – pasażerski i towarowy.

Na planie z roku 1922, zachowanym w archiwum Ordynacji Zamojskiej APL, widać przebieg łącznicy ze stacji Zwierzyniec Biały Słup do stacji Zwierzyniec Wieś oraz szkic torów w samej miejscowości. Budynek oznaczony numerem 11 to istniejąca do dzisiaj stacja Zwierzyniec kolei normalnotorowej. Uwagę zwraca skrzyżowanie toru normalnego z wąskim (bocznica ta prowadziła do tartaku). Wobec braku opisu budynków niejasna jest rola krótkiego toru prowadzącego do zabudowań nr 20. Sprawę bocznic w Zwierzyńcu komplikuje występowanie torów technologicznych miejscowych tartaków zarówno w okresie przed, w czasie i po I wojnie światowej.

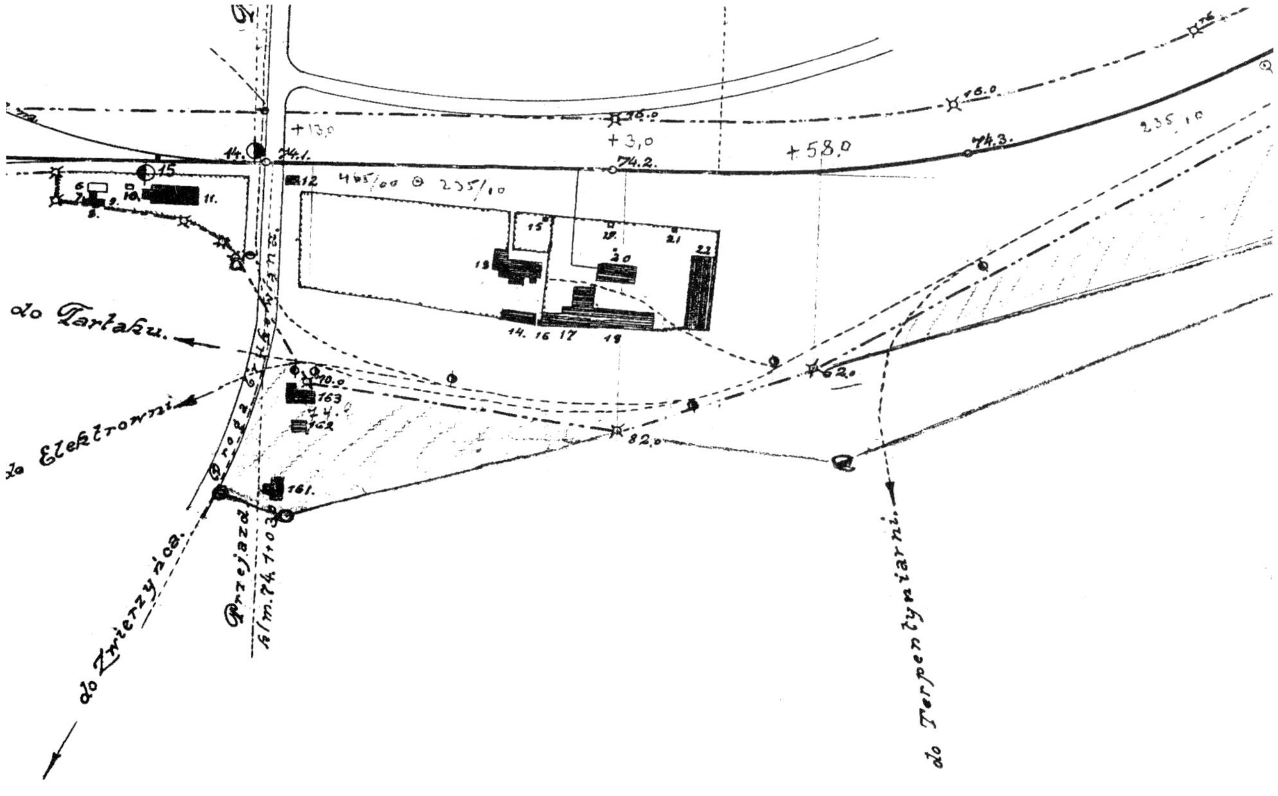

Szkic układu torowego przystanku Zwierzyniec Wieś wraz z zaznaczonymi odgałęzieniami poszczególnych bocznic prowadzących do zakładów Ordynacji. Rok 1920. Ze zbiorów APL

Do stacji Biały Słup tory wąskie poprowadzono wzdłuż normalnych, przy początku wsi Zwierzyniec odbijały od nich nieco dalej. W latach międzywojennych istniały dwa skrzyżowania w poziomie z torem normalnym: wspomniana już odnoga wąska do tartaku przecinała je na wysokości przejazdu drogowego i stacji normalnotorowej Zwierzyniec, bliżej zaś stacji Biały Słup odgałęziała się na południe bocznica normalnotorowa do tartaku, przecinając tor kolejki. Nie są znane daty likwidacji tych skrzyżowań. Linia „do Wsi" była wykorzystywana do około roku 1953. Zlikwidowana została prawdopodobnie około 1955 r. (jako powód podano *„stan nawierzchni zły"*).

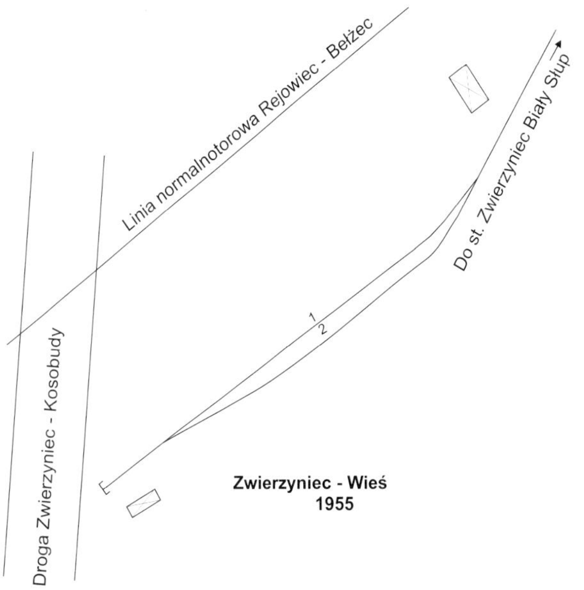

2,068 km – Zwierzyniec Wąsk. (Biały Słup)

Stacja i główne zaplecze kolejki położone były przy obecnej stacji Zwierzyniec Towarowy (dawniej nazywany Białym Słupem) normalnotorowej linii Rejowiec – Bełżec.

W maju 1917 r. stacja posiadała:

- 2 tory główne o długości użytkowej 250 m,
- tor manewrowy – 120 m,
- dwa tory do ramp przeładunkowych,
- pętlę będącą jednocześnie torem odstawczym długości 200 m (wg terminologii ck Armii – Kehrschleife, czyli pętla do zawracania),

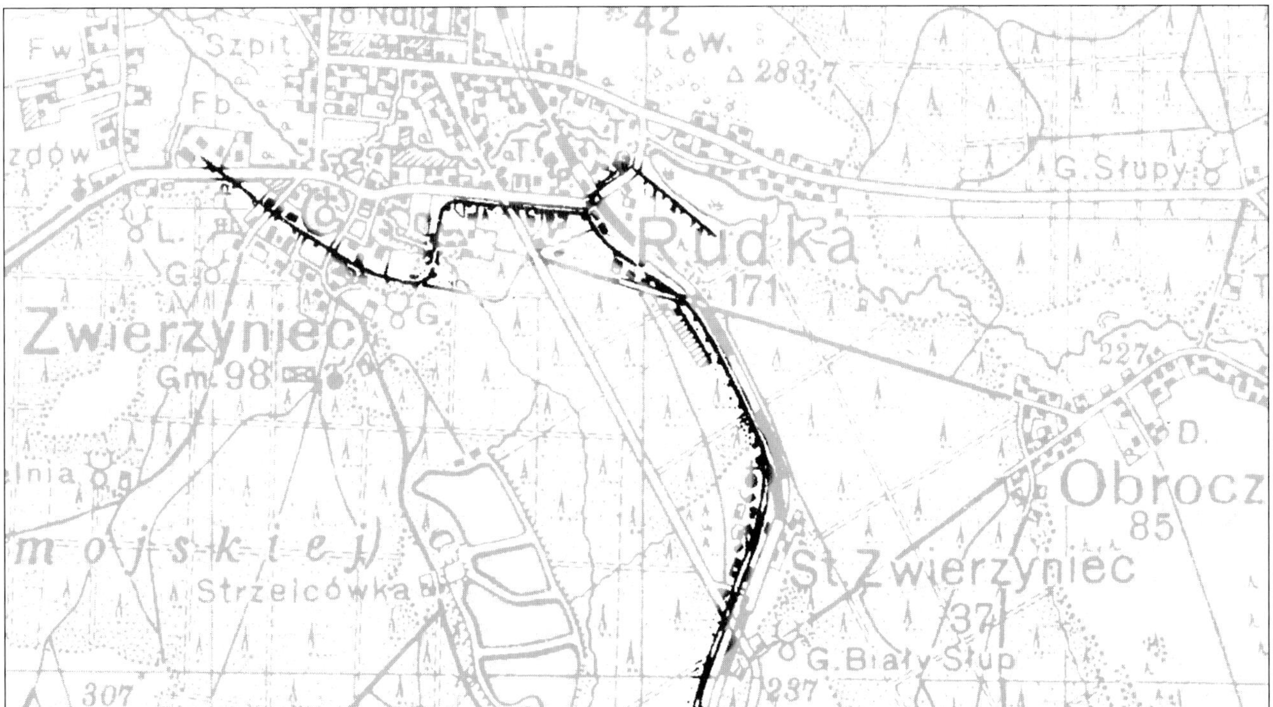

Wycinek mapy WIG z lat 30 XX wieku z wyróżnioną łącznicą do Zwierzyńca Wsi i bocznicami do tartaku i fabryki mebli.

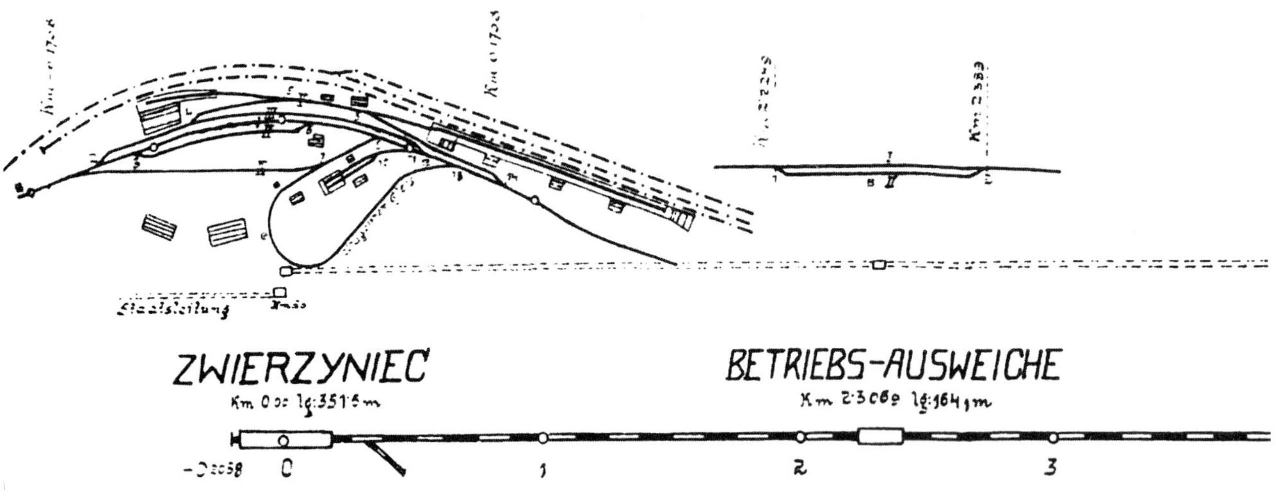

Fragment austriackiego profilu podłużnego linii Zwierzyniec – Biłgoraj z roku 1917. Widoczny schemat stacji Zwierzyniec Biały Słup oraz mijanki na Malowanym Moście. Zbiory KAW

- dodatkowy tor obchodzący stację i prowadzący do tartaku JG I,
- tor do dwustanowiskowej parowozowni.

Oba tory prowadzące do ramp krzyżowały się na terenie stacji. Pierwszy znany schemat stacji pochodzi z września 1917 r., po korektach wykonanych przez LFB1. Zestawienia z tego okresu wymieniają na stacji biura i warsztaty oraz Zivilgüterverladestelle, czyli ładownię towarów cywilnych położoną 354 m od pętli w stronę wyjazdu ze stacji.

Stopniowo torów przybywało, jedyny znany szkic z okresu międzywojennego pochodzi z archiwum Ordynacji Zamojskiej. Porównanie go z planem z lat 50. pokazuje,

Wjazd na stację Zwierzyniec Wąsk. od strony Biłgoraja, lata 50. XX w. Pośrodku widoczny jest wysoki budynek wieży wodnej, po lewej stronie kilka parowozów przed halą parowozowni. Przy lewym torze wjazdowym wyraźnie widać wskaźnik położenia rozjazdu starego typu. Autor: Z.Koryszko

Parowozownia w Zwierzyńcu. Przed halą stoi parowóz WSABP. Do zdjęcia pozują zawiadowca parowozowni A. Sykuła oraz elektryk – p. Wesołowski z żoną. Autor: Z. Koryszko

że nie zachodziły w tym czasie większe zmiany. Dopiero przy przekuciu na 750 mm stację przebudowano zasadniczo: pętla zastąpiona została trójkątem, gdyż na szerszym torze nie było możliwe zastosowanie tak ostrych łuków, a na powiększenie pętli nie było miejsca. Jednak korzystano z tej samej lokomotywowni oraz ramp usytuowanych równolegle do torów normalnych.

Boczna rampa przeładunkowa z toru normalnego była dość długa (200 m). Zbudowana została z drewna i szyn już w 1916 r., a następnie była remontowana w 1926 r. i 1930 r. Przed II wojną nie posiadała oświetlenia. Nie jest jasne, czy istniała rampa czołowa do załadunku taboru wąskiego, po przekuciu natomiast zbudowano rampę przeładunkową do transporterów (zapadnię).

Niejasny jest cel przebudowy części stacji przeprowadzonej w roku 1962. Skrócono tor główny o 527 m oraz zlikwidowano kilka rozjazdów. Być może chodziło o likwidację pozostałości po wyjeździe w stronę Zwierzyńca Wsi. W 1969 r. istniał semafor wjazdowy od strony Biłgoraja. W okresie przed likwidacją wąskotorówka na stacji w Zwierzyńcu wykorzystywała następujące budynki:

- dwutorową parowozownię drewnianą, krytą papą, bez stropu, o powierzchni 228,65 m^2, tory miały długość 34 m,

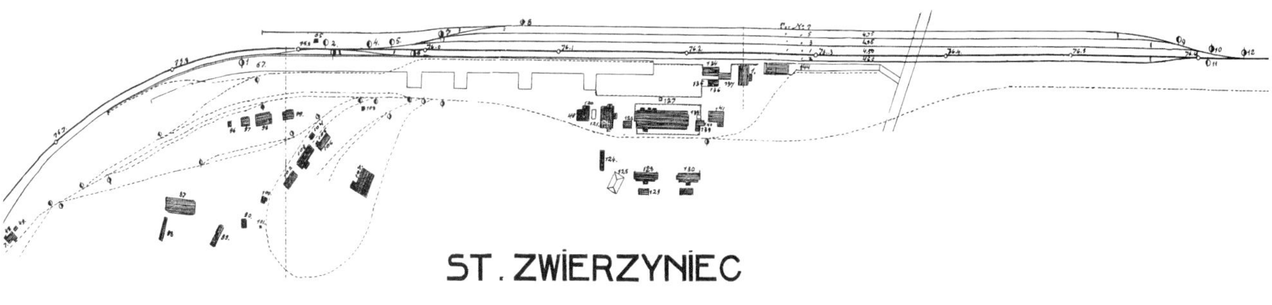

Fragment planu z roku 1920 przedstawiający st. Zwierzyniec Biały Słup. Ze zbiorów APL.

Budynki pompowni i wieży wodnej już po likwidacji wąskotorówki (1971 r.). Autor: Wiesław Wojasiewicz

- wieżę wodną,
- warsztaty ceglane kryte blachą (73,73 m^2),
- magazyn WMD drewniany, kryty papą (71,41 m^2),
- spawalnię (38,75 m^2 zbudowaną w 1959 r., a zlikwidowana w 1967 r.),
- biura drewniane kryte papą – 24,81 m^2 (nie były przebudowywane przy przekuciu),
- drewniane magazyny ogólnego zastosowania o powierzchni 1028 m^2 (zbudowane w 1943 r., zlikwidowane w 1964 r.),
- dyspozytornię z pustaków zbudowaną w 1962 r. (o powierzchni użytkowej 95,6 m^2),
- do 1971 r. istniały też dwa małe magazyny drewniane z 1944 r., barak – schronisko z 1950 r. oraz kuźnia z 1944 r. Ponadto zapisano 5 budynków mieszkalnych i gospodarczych.

Dwutorowa parowozownia, zbudowana w 1917 r., została zniszczona przez wycofujące się wojska niemieckie w roku 1944 i zastąpiona prowizoryczną z elementów baraków poniemieckich. Starą parowozownię zlikwidowano

Wiata na peronie st. Zwierzyniec Wąsk. Fotografia z lat 60. XX wieku. Ze zbiorów W. Wojasiewicza

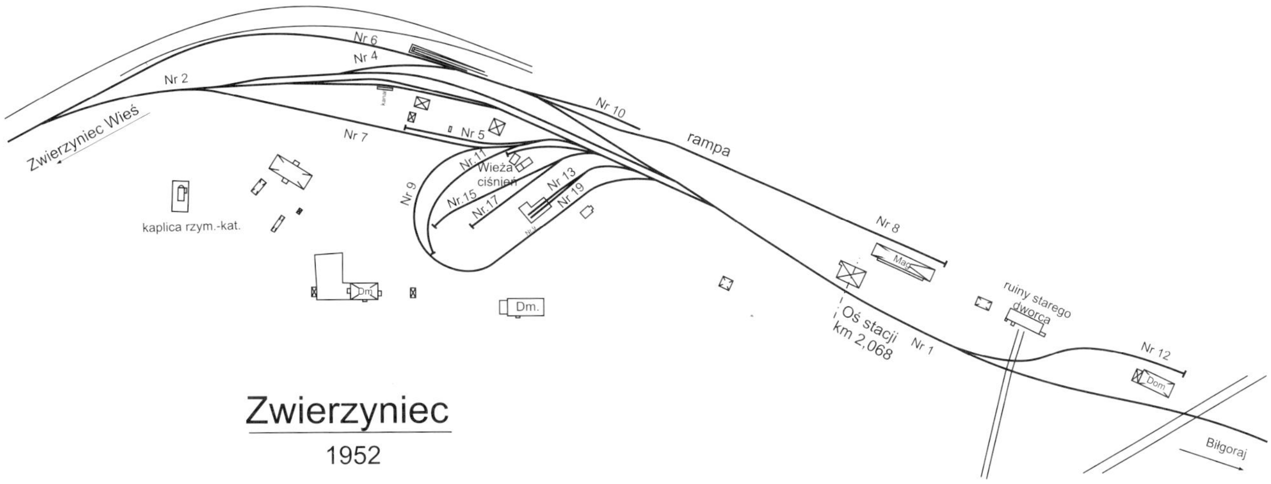

Zwierzyniec

1952

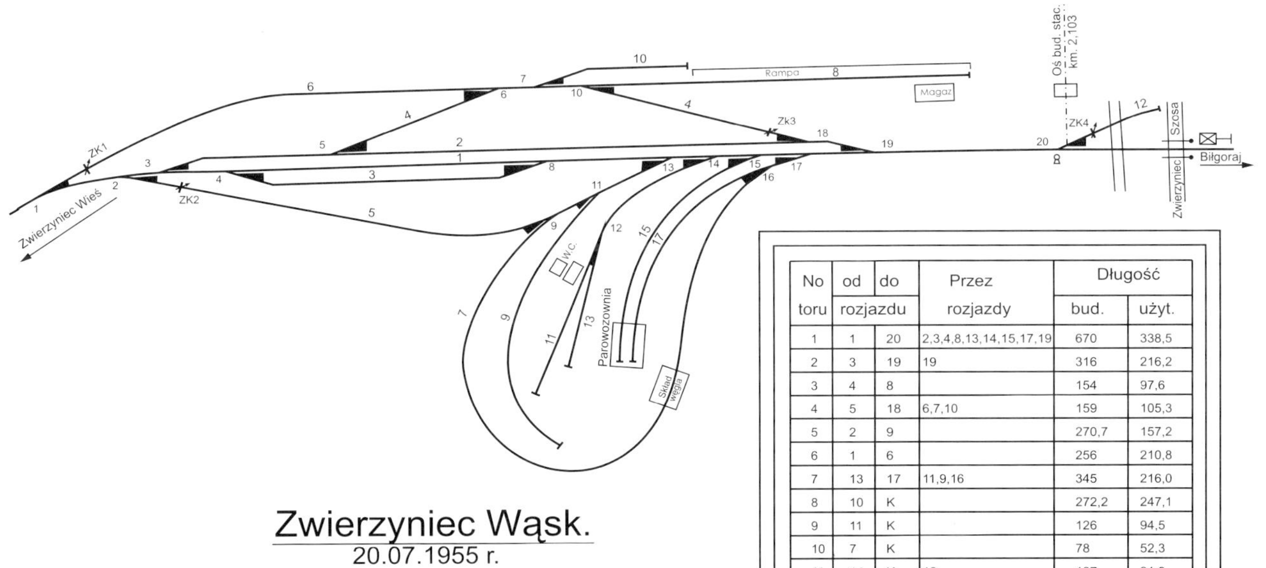

Zwierzyniec Wąsk.

20.07.1955 r.

No	od	do	Przez	Długość	
toru	rozjazdu		rozjazdy	bud.	użyt.
1	1	20	2,3,4,8,13,14,15,17,19	670	338,5
2	3	19	19	316	216,2
3	4	8		154	97,6
4	5	18	6,7,10	159	105,3
5	2	9		270,7	157,2
6	1	6		256	210,8
7	13	17	11,9,16	345	216,0
8	10	K		272,2	247,1
9	11	K		126	94,5
10	7	K		78	52,3
11	14	K	12	127	91,9
12	20	K		171	152,2
13	12	K		61,5	44,5
15	15	K		78	64,4
17	16	K		103,5	55,3

formalnie w styczniu 1971 r., przy czym jeszcze w maju tego roku w najlepsze z niej korzystano. Dopiero po likwidacji linii zbudowano nową murowaną halę z trzema wjazdami i większym zapleczem warsztatowym (projektowano ją już na początku lat 60.). Wykorzystywano ją jedynie jako bazę samochodową. Budynek ten, zrujnowany i zapomniany, istnieje do dziś.

Na planie z roku 1952 zaznaczono „*ruiny starego dworca*", budynku dworca zniszczonego w czasie wojny.

Wieża wodna ze zbiornikiem żelaznym nitowanym na wysokości 2,7 m, o pojemności 34 m³, zbudowana została w roku 1952, w miejsce austriackiej z 1917 r., zniszczonej przez Niemców. Zasilana była pompą elektryczną, z głębokiej na 63 m studni na terenie stacji. Żuraw wodny znajdował się przy lokomotywowni koło toru nr 7. Nie jest jasne, skąd pobierano wodę wcześniej. Relacje pracowników świadczą o korzystaniu z pulsometru w potoku Świerszcz w Malowanym Moście. Stacja posiadała też ogrodzony skład opału i sieć wodociągową. W latach powojennych powierzchnia terenu stacji wynosiła 4,5 ha.

Naprawy bieżące parowozów wykonywano w hali parowozowni, zaś wagonów pod gołym niebem na torach nr 15. i 17. Tory 19. i 21. wykorzystywano do postoju parowozów. Po przekuciu były to tory: naprawy wagonów – 105. i postojowe – 106., 107. i 108.

Nawet pod koniec istnienia linii wyposażenie warsztatów nie było zbyt bogate: 2 tokarki, 2 wiertarki, 1 strugarka oraz 1 szlifierka. Do obróbki drewna służyła piła tarczowa, a od momentu przekucia także strugarka. Na wyposażeniu kuźni była jedna kotlina kowalska stała oraz jedna spawarka transformatorowa o mocy 10 kW. Od przekucia parowozownia wyposażona była w komplet (4 sztuki) ręcznych dźwignic Beckera oraz w żuraw elektryczny

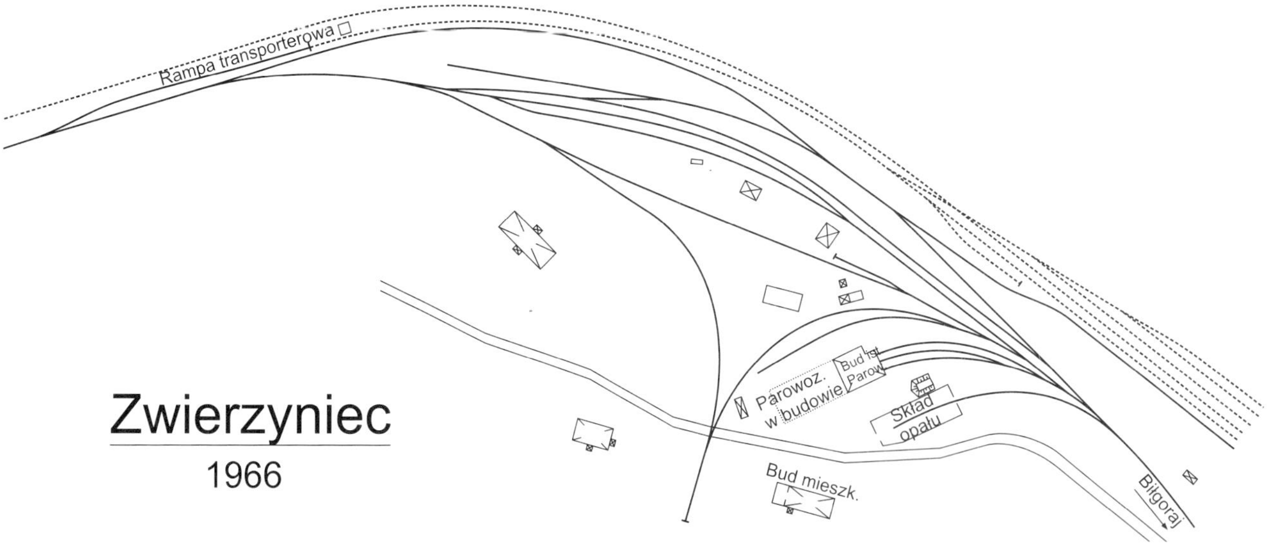

do nawęglania. Moc zainstalowana (maksymalna) wynosiła w roku 1969 tylko 46 KW.

Skromne zaplecze wskazuje jednoznacznie na konieczność wykonywania większych napraw w warsztatach innych kolei PKP (jędrzejowska, hrubieszowska). Zapewne częściowo z tego wynikała duża rotacja taboru – parowóz zdefektowany – „chory"– odsyłano do naprawy, a w zamian otrzymywano inny.

4,226 km – Malowany Most

Mijanka techniczna, a następnie ładownia drewna. W czasie I wojny Austriacy używali określenia „Betriebsausweiche", czyli po prostu „mijanka". Polska nazwa pochodzi od mostu na rzeczce Świerszcz (4,28 m długości

Załadunek dłużycy na wózki kłonicowe w okolicy Malowanego Mostu (1917 r.) Ze zbiorów KAW

i 3,62 m prześwitu). Samo określenie „malowany" wywodzi się zapewne od nazwy pobliskiego obszaru leśnego nazywanego „malowany dział". Most, pierwotnie drewniany, przebudowano na stalowy z belek w roku 1959. Nie zachował się do dnia dzisiejszego.

Jeszcze w okresie międzywojennym była tu mijanka służąca do załadunku drewna (bliżej Zwierzyńca niż sam most). W roku 1921 zajmowała powierzchnię 8510 m², zaś w 1937 r. wykazywano dwa tory o długości 125 m każdy. W roku 1955 już jej nie ma na planach, jednak data likwidacji nie jest znana.

7,668 km – Szozdy

Przystanek osobowy i ładownia. Przy budowie linii w 1916 r. Austriacy w celu ochrony przeciwpożarowej przenieśli kuźnię do zachodniej części miejscowości, a dwa domy, leżące nieopodal toru, pokryli materiałem niepalnym. W roku 1917 zbudowano mijankę i dwa żeberka, symetrycznie po obu stronach stacji (oba odgałęziały się od

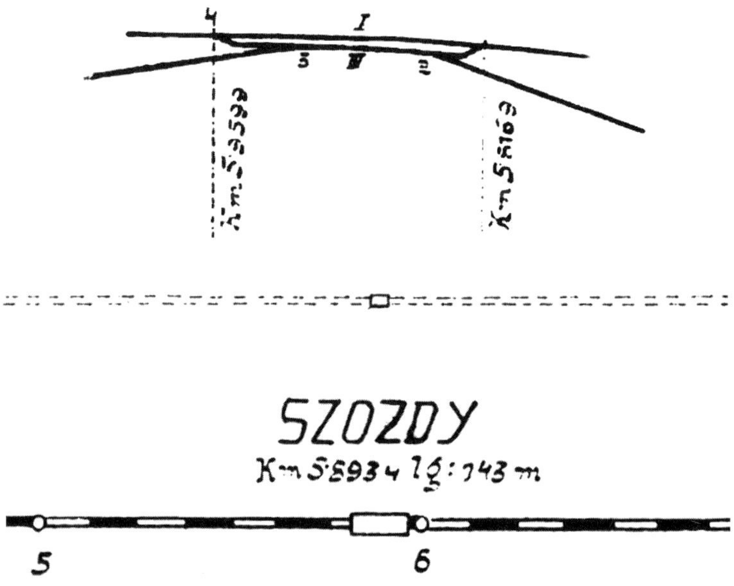

Schematyczny rysunek pochodzący z dokumentów austriackich z 1917 r. Zbiory KAW

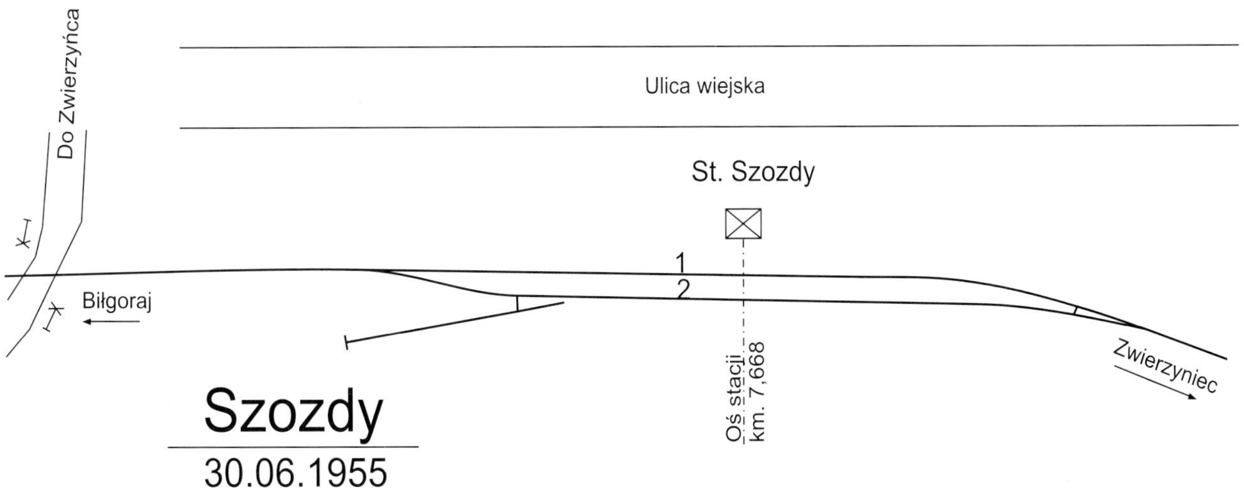

Prace przy przekopie pomiędzy Szozdami a Tereszpolem (1917 r.)
Ze zbiorów KAW

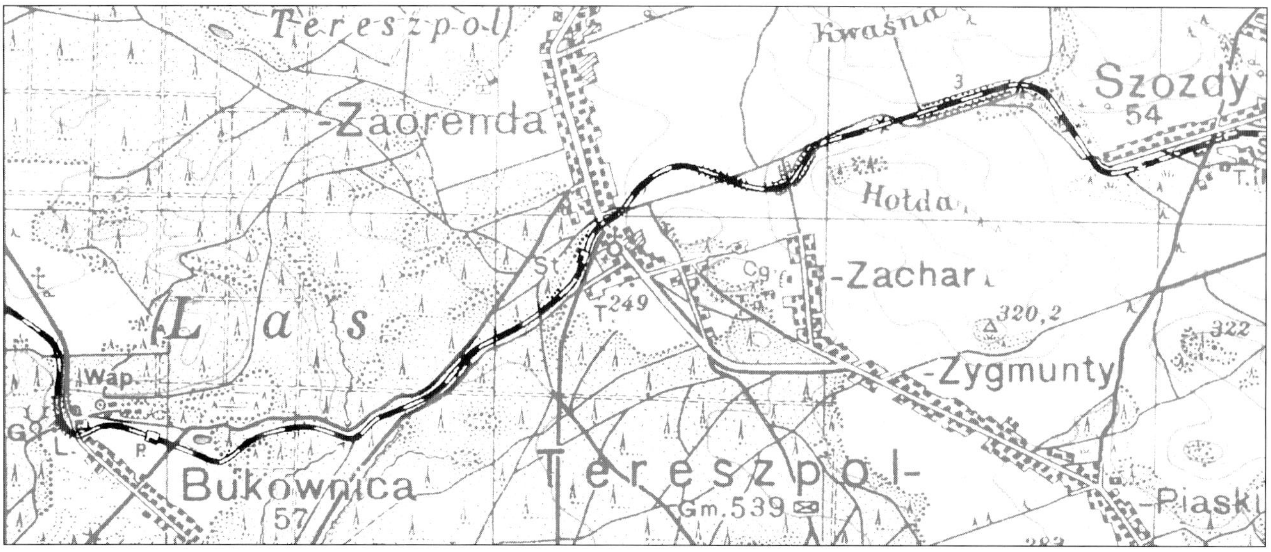

toru nr 2). Na planie stacji z 1955 r. widoczna jest mijanka i żeberko, wyraźnie oddzielone od pozostałych torów.

Być może była to przeznaczona do rozbiórki pozostałość po pierwotnym układzie torowym. W ramach inwentaryzacji przeprowadzonej 01.01.63 odnotowano tu tor długości 137 m, zaś po przekuciu długości 225 m. Budynek stacji został rozebrany podczas likwidacji wąskotorówki.

12,338 km – Tereszpol

Stacja z rozległymi placami ładunkowymi. Do roku 1956 nosiła nazwę Terespol Wąsk. Stacja obsadzona była do 1933 r., potem był to p.o. i ładownia, w latach pięćdziesiątych i sześćdziesiątych czynna była kasa biletowa. W związku z budową kolejki zlikwidowano dom i zabudowania gospodarskie Szczepana Pawluka, jego samego przesiedlono do zabudowań pokościelnych. Pierwotnie w 1917 r. czwarty tor (ładunkowy) był połączony z torem głównym na obu końcach (także od strony Biłgoraja). W roku 1921 powierzchnia stacji wynosiła 39 130 m^2.

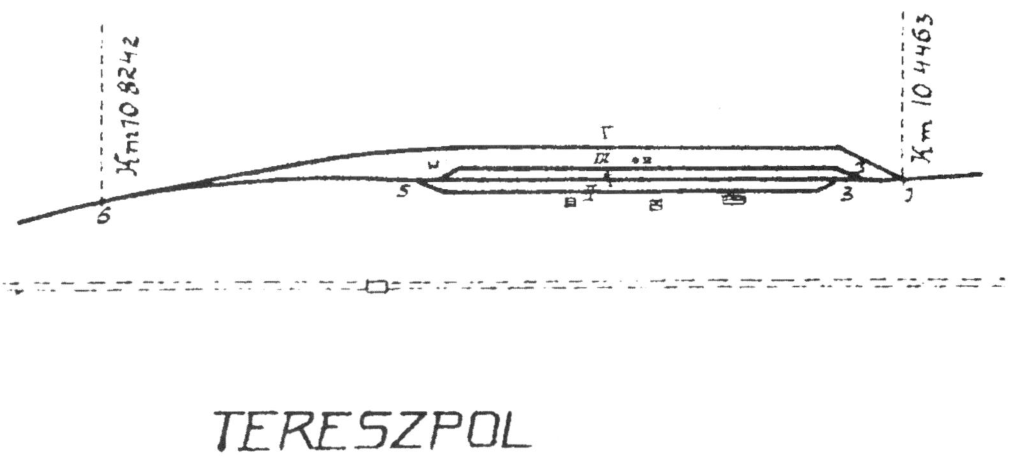

Szkic z profilu podłużnego linii z 1917. Zbiory KAW

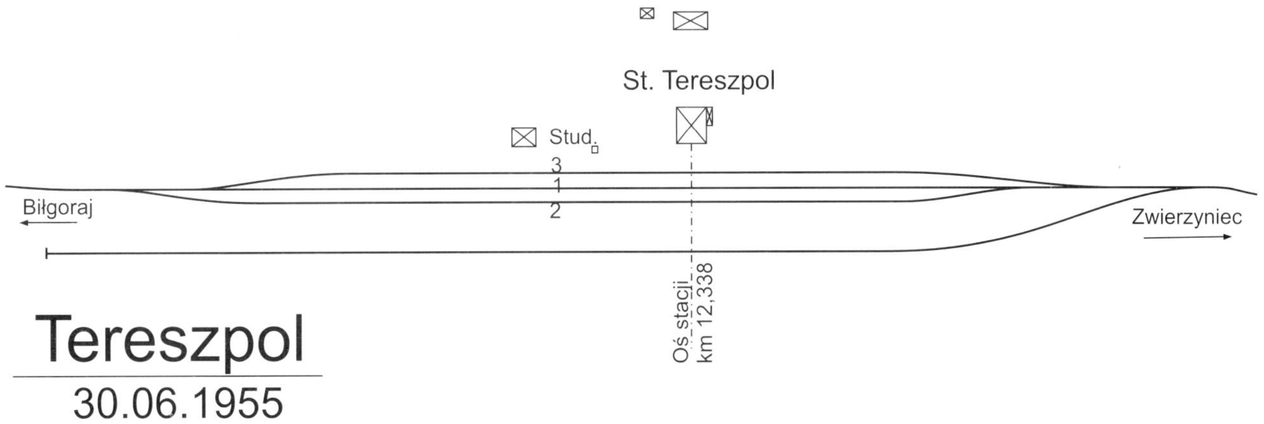

Współczesny widok budynku stacyjnego w Tereszpolu (2002 r.). Przybudówka po prawej stronie była poczekalnią

W latach dwudziestych XX w. Ordynacja Zamojska dzierżawiła place o łącznej powierzchni ponad 3 000 m^2 przy stacji do załadunku drewna, za które płaciła ponad 52 tysiące marek polskich za miesiąc. Jeszcze w latach 40. Ordynacja odbierała tu przywożone furmankami kopalniaki (stemple drewniane) w dużych ilościach. Inwentaryzacja z dnia 01.01.63 wykazała: tor główny długości 186 m, tory stacyjne nr 3, 4 o długości łącznej 437 m, magazyn drewniany 22 m^2 i budynek mieszkalny stacyjny. W roku 1957 zainstalowano tu 6 latarni. Budynek stacyjny i magazyn toromistrza istnieją do dnia dzisiejszego, łatwo odnaleźć je na tyłach cmentarza.

15,033 km – most

W tym miejscu, przy mostku o długości 2,24 m (światło 1,50 m) na dopływie strumienia Ratwica, niemal dwa kilometry od stacji Tereszpol, Austriacy zbudowali „stację wodną". Nie wiadomo, kiedy ją zlikwidowano.

15,548 km – Bukownica

Przystanek osobowy i ładownia. Podczas budowy od toru, z powodów przeciwpożarowych, odsunięto dom i zabudowania Jana Rokoszewskiego. Około 400 m dalej na zachód tor przechodził przez zabudowania należące do Ordynacji i dlatego jeden z budynków gospodarczych rozebrano, dom mieszkalny pokryto materiałem ogniotrwałym, a tor polecono ogrodzić, aby uniknąć wypadków.

Już w czasie I wojny ładowano tu kamień wapienny z trzech „wapniarek" położonych bezpośrednio przy torze kolei; w 1917 r. Austriacy zbudowali tu „Kalkofengleis", czyli bocznicę szlakową do pieca wapiennego, długości 189 m. W latach 1919-1920 wymieniany jest tor o długości 260 m do „dowozu kamienia". Bocznica ta odgałęziała się od szlaku w odległości 580 m za stacją w stronę Biłgoraja i biegła na północ. Wapniarki zamknięto najprawdopodobniej w okresie wielkiego kryzysu na początku lat 30. XX wieku.

Układ torowy mijanki Bukownica nie zmienił się od czasów austriackich aż do dnia 01.01.1963, kiedy to zinwentaryzowano jeszcze jeden tor stacyjny (nr 3, o długości

Wieża wodna za Tereszpolem w roku 1917. W tle widoczni są żołnierze austriaccy przy parowozie. Ze zbiorów KAW.

169 m), wykazany następnie jako niedobór podczas inwentaryzacji w grudniu 1968 r. Być może został on skasowany w roku 1964. Nic nie wiadomo o budynkach stacyjnych, dopiero w roku 1969 opisany został „prowizoryczny barak" służący jako poczekalnia. Za stacją tor przecinał wiejską drogę i łukami pokonywał wzgórza na północ od wsi. Tu znajdował się najostrzejszy łuk na całej linii – o promieniu 80 m – oraz znaczny spadek. Zarówno okoliczni mieszkańcy, jak i emerytowani maszyniści opowiadali mi o dziecięcych figlach, polegających na smarowaniu szyn śliskimi substancjami, takimi jak mydło czy olej, a następnie obserwowaniu parowozu, który miał kłopoty z podjechaniem. Winowajcy chowali się za pobliskimi pagórkami, jednak często rozeźleni kolejarze gonili ich aż do wsi.

16,5 km – kamieniołom „Gliniska"

Położony w odległości około 1 km od toru, w okresie okupacji prawdopodobnie posiadał własną bocznicę i tory wewnętrzne 600 mm. Udokumentowane jest jedynie istnienie torów przy kruszarce kamienia w samym kamieniołomie w latach 60. Wydobywano kamień do celów budowlanych i do budowy dróg.

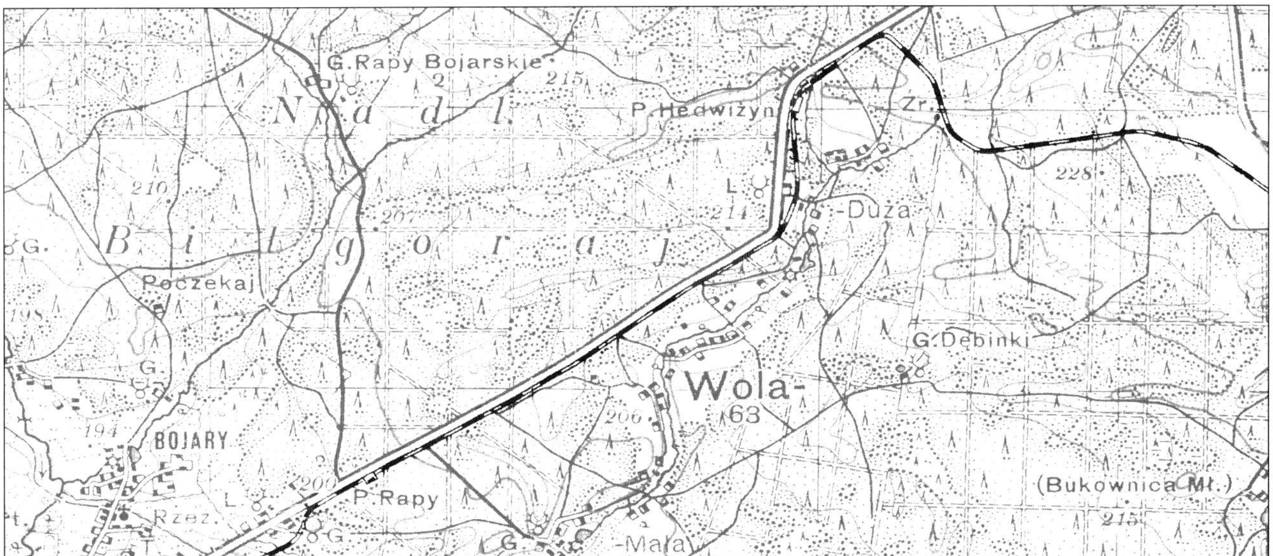

19,650 km – bocznica do Zakładów Wapienno-Piaskowych w Hedwiżynie

Od roku 1969 do likwidacji, a więc przez niecałe 3 lata, istniała wąskotorowa bocznica do Zakładów Wapienno-Piaskowych w Hedwiżynie. Do dzisiaj ślad po niej jest dobrze widoczny w terenie, w miejscu, gdzie dawny tor kolejki zbliżał się do szosy. Istniejąca przy odgałęzieniu tej bocznicy budka została zbudowana w oczekiwaniu na duży ruch towarowy. Obecnie urządzono w niej kapliczkę. Od 1971 r. zakład ten posiada bocznicę normalnotorową.

20,977 km – most

Długość 4,80 m (prześwit 3,50 m) przebudowany w roku 1951.

21,028 km – Hedwiżyn

Stacja (położona na południowy zachód od samej wsi) była obsadzona do 1929 r. Później była to nieobsadzona mijanka i przystanek osobowy. Niedaleko przed nią od strony Zwierzyńca szlak kolejki zbliżał się do szosy Zwierzyniec – Biłgoraj.

Do tego miejsca linia austriacka budowana była dokładnie po trasie rosyjskiej kolei wojskowej, dalej natomiast linia rosyjska przecinała szosę i biegła jej północnym skrajem, przed samym Biłgorajem skręcając ponownie na południe. Austriacy poprowadzili kolej południowym skrajem drogi, aby uniknąć dwukrotnego z nią skrzyżowania. Ponadto prace ziemne z czasów rosyjskich do roku 1917 zostały zniszczone i wymagałyby powtórzenia.

Pierwotnie stacja austriacka zlokalizowana była bliżej wsi – w 19,317 km (a więc bliżej Zwierzyńca niż późniejsza bocznica do zakładów piaskowych). Była to mijanka o długości torów 135 m. Modernizacja przeprowadzona przez Lokomotivfeldbahn Nr 1 polegała na przesunięciu stacji o 2,1 kilometra w stronę Biłgoraja, a więc w miejsce, gdzie pozostała do końca istnienia kolejki. Była to mijan-

Pierwotny budynek stacji Hedwiżyn w 1917 r.

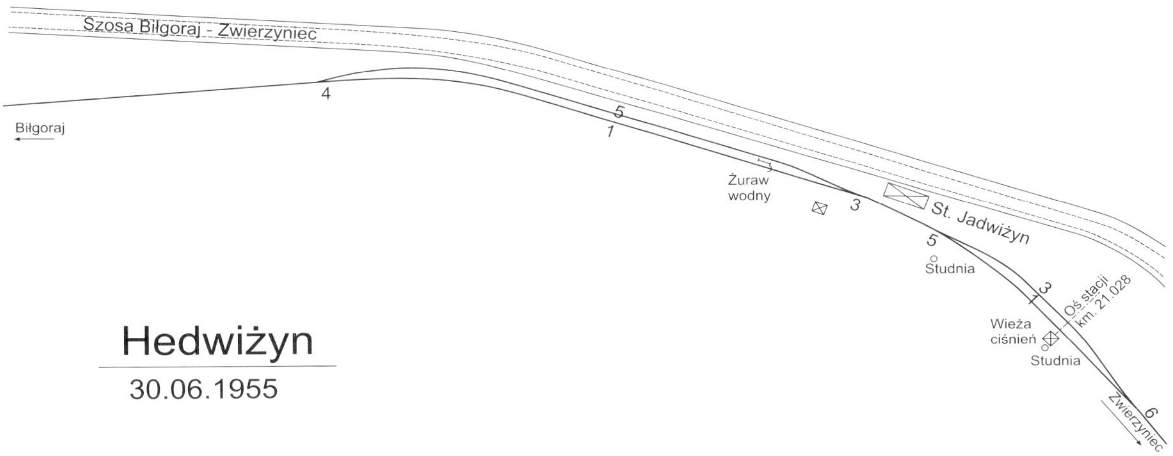

Hedwiżyn

30.06.1955

ka o torach długości 167,5 m. Źródła austriackie z 1917 r. wymieniają tu krótki (167 m) tor „leśny" położony około 500 m od wyżej opisanej stacji w stronę Biłgoraja, najpewniej była to bocznica do tartaku położonego na północ od szosy, niemal naprzeciwko stacji. W lesie dobrze zachowane są nasypy prowadzące łukami do pozostałości po fundamentach tartacznych.

Także w lesie, dalej na północny zachód od dawnego tartaku, widoczne są nasypy i niweleta toru (na północ od szosy na wysokości nowej fabryki win). Początkowo prowadzą na północ, po około kilometrze skręcają na zachód i prowadzą dalej łukiem na południowy zachód. W płaskim terenie ślady nie są tak czytelne jak przy szosie, dlatego w celu potwierdzenia istnienia w tym miejscu linii kolejowej autor przeprowadził poszukiwania, w trakcie których znaleziono haki mocujące podkłady. Prawdopodobnie są to ślady torów leśnych służących dowozowi drzewa do tartaku przy szosie.

Pierwsze znane plany tej stacji za czasów PKP pochodzą dopiero z lat 50. Było to niedługo przed rozbiórką austriackiego budynku stacyjnego. Zapewne nieco niewygodny układ dwu mijanek (wymuszony lokalizacją wieży

Pierwszy pociąg po przekuciu linii w 1964r. prowadzony wagonem motorowym MBd1 – 121, zmierza do Biłgoraja. Zdjęcie ze zbiorów P. Staszewskiego.

wodnej) był jednym z powodów zmiany układu wykonanej około roku 1959, połączonego z zastąpieniem dawnego budynku stacyjnego nowym położonym około 100 m w stronę Biłgoraja. Inwentaryzacja z dnia 01.01.1963 wykazała: tor główny nr 5 długości 158 m, tor stacyjny nr 3 o długości 178 m; budynek mieszkalny stacyjny oraz wieżę wodną z 1940 r. (posiadała dwa zbiorniki żelazne 4 m nad ziemią, o łącznej pojemności 6 m³). Według relacji pracowników wodę do zbiornika pompowano ze strumienia ręcznie, co zabierało dość dużo czasu. Niefrasobliwość odpowiedzialnych za to pracowników prowadziła niekiedy do opóźnień w ruchu pociągów, gdy podczas nabierania wody do parowozu okazywało się, że jest jej w zbiorniku zbyt mało.

Po przekuciu, w grudniu 1968 r., kolejna inwentaryzacja wykazała niedobór – brak toru nr 5, prawdopodobnie wcześniej rozebranego, czego nie uwzględniono w dokumentach. W 1969 r. poczekalnia nadal mieściła się w budynku torowego (istnieje on do dnia dzisiejszego pomiędzy szosą a fabryką win). Ówczesna mijanka miała dwa tory o długości 209 m każdy. W latach 50. zainstalowano tu 3 latarnie elektryczne.

Jako ciekawostkę można wspomnieć istniejące do dziś fundamenty obserwacyjnego posterunku niemieckiego z czasów II wojny światowej. Znajdują się one nieopodal szosy, po jej północnej stronie, i niedaleko od dawnego tartaku. Posterunek ten zbudowano w miejscu umożliwiającym obserwację szosy w kierunku Zwierzyńca i Biłgoraja oraz samej stacji jednocześnie. Miał chronić szlaki komunikacyjne przed atakami partyzantów.

Od 14.09.1924 do roku 1956 miejscowość i sama stacja nosiły nazwę Jadwiżyn.

Bocznica Hedwiżyn – Ignatówka

Bocznica o nieznanym przebiegu, długości 4 km. Odchodziła na północ od linii głównej, wykazywana była w roku 1927 jako „kolejka towarowa" o trakcji parowozowej, co więcej – posiadającej własny tabor: 1 parowóz i 24 wagony. Nieznana jest data jej likwidacji ani właściciel. Prowadziła do kamieniołomów w Ignatówce. Relacje mieszkańców wsi Ignatówka potwierdzają jej istnienie. Kamień z kamieniołomu „Żelebsko" wywożono kolebami ręcznie po torach patentowych na południowy skraj wsi, gdzie przeładowywano go na wagony PKP i wywożono do Hedwiżyna. Tam bocznica łączyła się główną linią wąskotorówki.

22,580 km – Wola

Mijanka oraz prowizoryczna stacja wodna istniejąca w początkowym okresie istnienia kolejki; zlikwidowana przy modernizacji w sierpniu 1917 r. przez austriacką jednostkę Lokomotivfeldbahn Nr 1. Tory mijanki miały 135 m długości.

Zdjęcie wykonane przez autora w roku 2006. Widoczna tablica z nazwą przystanku kolei normalnotorowej, a w tle dawny nasyp wąskotorówki w stronę Hedwiżyna.

23,530 km – most

Długość 4,60 m (prześwit 4,00 m) przebudowany w roku 1949.

24,500 km – tor do Woli Małej

Pierwotny przebieg trasy na tym odcinku prowadził przez Wolę Małą. Tor odchodził łukiem niedaleko od skrzyżowania szosy Zwierzyniec – Biłgoraj z drogą do Woli. Tuż przed samym tartakiem skręcał w stronę Biłgoraja.

W czasie przeróbek przez LFB1 w roku 1917 przebieg linii skrócono i poprowadzono wzdłuż szosy. W celu obsługi tartaku w Woli zachowano tor bocznicowy opisany poniżej. Ponadto w głębi lasów na południe od Woli widoczne są przekopy i niweleta toru – być może były to tory zaopatrzeniowe tartaku służące do ładownia dłużycy.

25,188 km – Rapy

Ładownia oraz przystanek osobowy. Zbudowana w 1917 r. w ramach modernizacji linii przez Lokomotivfeldbahn Nr 1. Były tu wtedy trzy tory o długości po 214 m. Ponadto na końcu stacji bliższym Biłgoraja zanotowano krótki tor „leśny" wybiegający na północ. Budynek stacyjny spalił się 15.03.1943 w wyniku akcji partyzantów GL.

01.01.1963 opisano tory stacyjne nr 2 i 4 o długości łącznej 314 m oraz 2 rozjazdy. Po przekuciu (1969 r.) istniał tor główny (173 m) oraz ładunkowy (165 m), co dawało możliwość jednoczesnego podstawienia 16 dwuosiowych wagonów. Plac przeładunkowy i magazynowania drewna.

26,225 km – Bojary

Mijanka istniejąca w początkowym okresie istnienia linii – skasowana już w sierpniu 1917 r.

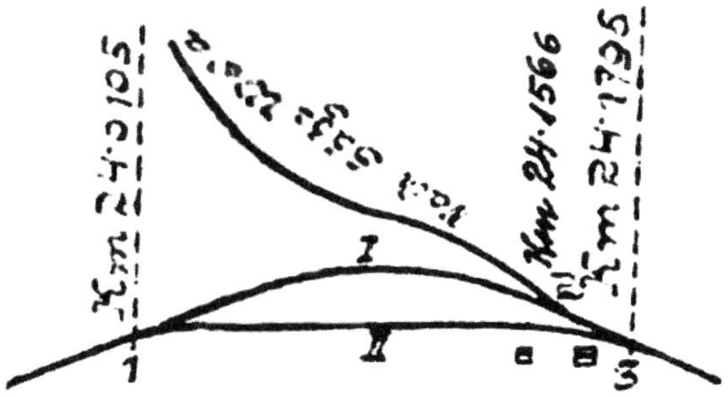

Schemat z profilu podłużnego z 1917 r.
Widoczna mijanka i tor do tartaku w Woli

26,286 km – bocznica do tartaku Wola Mała

Od stacji Bojary, w kierunku na południowy wschód, wojska austriackie zbudowały bocznicę o długości 1,760 km do tartaku we wsi Wola Mała. Do modernizacji w 1917 r. to

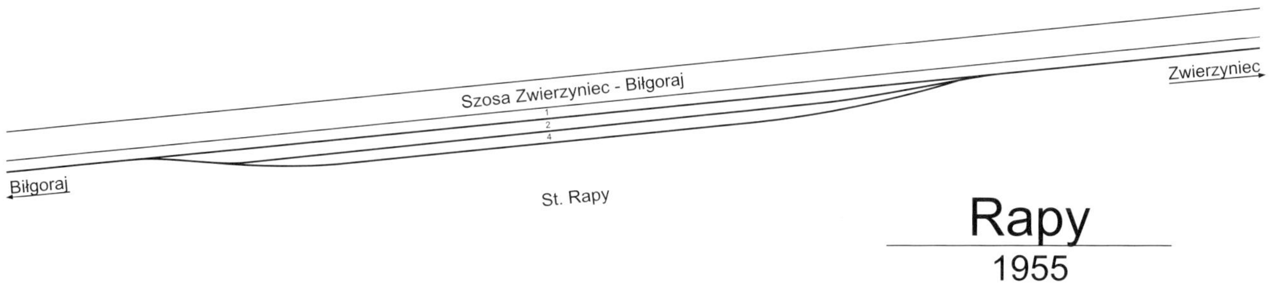

Pociąg zbliżający się do stacji Biłgoraj. Budynek po lewej to zakłady „Mewa" przy obecnej ulicy Zamojskiej. Zdjęcie ze zbiorów Krzysztofa Klimeckiego

ona była głównym szlakiem kolejki. Istniała najpewniej do lat 20. Nie udało się ustalić przyczyny likwidacji tej bocznicy.

28,248 km – Biłgoraj

Stacja końcowa kolejki usytuowana była przy obecnej ulicy Bohaterów Monte Cassino, obecnie jest tu dworzec autobusowy.

W związku z budową kolejki w 1916r. polecono rozebrać i przenieść w pobliże drogi Biłgoraj – Tarnogród dom niejakiego Jana Kostka (nr 130), gdyż znajdował się on niecałe 2 metry od toru. Materiałem ognioodpornym polecono pokryć dach pobliskich zabudowań Ewy Obszyńskiej. W obu przypadkach wystąpiono o sfinansowanie prac przez MGG w związku z trudną sytuacją materialną właścicieli.

Na terenie stacji istniał rozbudowany układ torowy z trójkątem (po przekuciu z obrotnicą), bocznicami, torami ładunkowymi i rampami przeładunkowymi. W 1917 r. stacja posiadała trzy tory mijankowe, przedłużony tor na szczycie trójkąta prowadzący do rampy i magazynu.

Drewniany budynek stacyjny w okresie II wojny światowej. Zdjęcie ze zbiorów Teresy Kamińskiej

Widok stacji Biłgoraj w 1917 r. Po prawej budynek parowozowni. Ze zbiorów KAW.

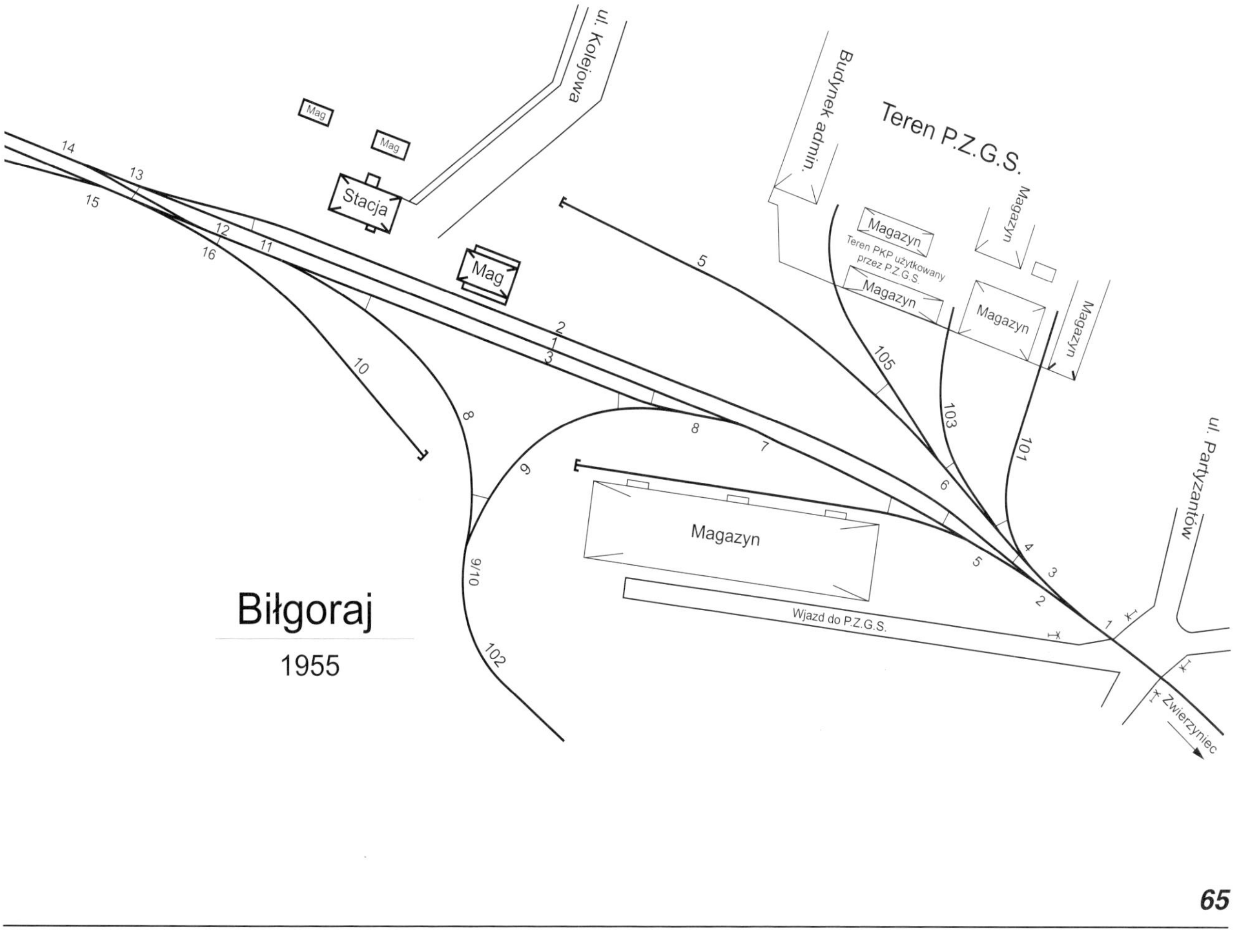

Poza tym w miejscu późniejszego magazynu PZGS (Powiatowy Związek Gminnych Spółdzielni „Samopomoc Chłopska") istniała dwutorowa parowozownia. Niestety nic bliższego o jej dalszych losach nie wiadomo.

W latach 60. przejazd strzeżony przy ul. Partyzantów (w 28,10 km) obsługiwany był przez zwrotniczego. Stacja posiadała też wówczas semafor wjazdowy od strony Zwierzyńca. W roku 1963 bocznica PZGS obejmowała tory 101., 103. i 105. o długości 173 m. Ponadto istniał tor główny, w nim 3 rozjazdy, tory stacyjne nr 3, 4, 5, 6, 8, 10 o długości łącznej 574 m z 6 rozjazdami oraz trzy tory bocznicowe (numery jak wyżej), budynek dworca o powierzchni 115 m², mieszczący pomieszczenia zawiadowcy

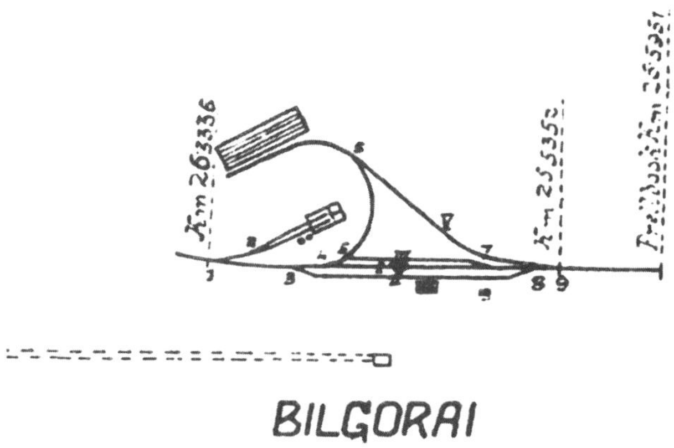

Schemat stacji z roku 1917.
Widoczny trójkąt oraz dwutorowa parowozownia. Ze zbiorów KAW

Stacja Biłgoraj około roku 1971. Widoczny tył wagonu osobowego 1Aw (Bxhpi 1643), drezyna ręczna, stojąca poza torem, oraz na drugim planie wagon towarowy na torze ogólnoładunkowym.

Widok dalszej części stacji z poprzedniego zdjęcia. Po prawej stronie od wagonu typu 1Aw widać wagony normalnotorowe na transporterach. Ze zbiorów Muzeum Ziemi Biłgorajskiej

Czy te jabłka przyjechały, czy też wyjeżdżają z Biłgoraja? W tle wagon OSMAG oraz szopa magazynowa w Biłgoraju. Fotografia sprzed 1964 r. Ze zbiorów Muzeum Ziemi Biłgorajskiej

stacji, dyżurnego ruchu, kancelarii, kasy biletowej i towarowej. W urzędowej księdze środków trwałych zanotowano też: *„dźwigów osobowych brak"*, co być może było wymogiem ówczesnych przepisów, ale biorąc pod uwagę lokalne realia, brzmi to nieco abstrakcyjnie... Żuraw wodny znajdował się w międzytorzu torów nr 2 i 4.

Bocznica Biłgoraj – Dąbrowica (1921-192?)

Zbudowana przez założoną przez Ordynację „Zamojską Spółkę Przemysłu Drzewnego" w roku 1921 przez Łęk i Borek, *„po lewej stronie gościńca do wsi Soli"* w kierunku lasów kocudzkich i janowskich w celu eksploatacji okolicznych terenów. Nieznany jest ani jej dokładny przebieg, ani miejsce, w którym odgałęziała się od toru kolejki PKP.

W roku 1927 wymieniana była jako nieczynna, posiadająca długość 6 km linia o trakcji parowozowej, posiadająca tabor 20 wagonów towarowych.

Łącznica z kolejką leśną Lipa – Biłgoraj (1952-1963?)

Tory stacyjne przedłużono i łukiem połączono z torami linii leśnej do Lipy. Dla linii Lasów Państwowych wybudowano parowozownię przy obecnej ulicy Marii Konopnickiej. Budynek ten istnieje do dzisiaj jako zaplecze techniczne PKS. Tory łącznicy wykorzystywane były też jako bocznica do Biłgorajskiego Przedsiębiorstwa Budowlanego w Biłgoraju.

Tabor

Na wstępie warto zauważyć, że na stacji Zwierzyniec (jedynej stycznej z torem normalnym) nie udało się stwierdzić, w żadnym okresie, czołowej rampy przeładunkowej do przesyłania taboru wąskotorowego platformami normalnotorowymi (do napraw lub przy przesłaniach z/do innych kolei wąskotorowych). W dokumentach z 1969 roku opisana jest do tego celu służąca boczna rampa przeładunkowa. Znajdowała się przy torze 12. i miała długość 29 m. Przy dużej rotacji taboru na linii zwierzynieckiej boczny za- i wyładunek taboru wąskiego nastręczać musiał pewnych kłopotów. Być może po przekuciu w roku 1964 wykorzystywano do tego celu rampę transporterową i podnośniki ręczne.

Tabor linii Ordynackiej i rosyjskiej wojskowej, ze względu na odrębność zagadnienia, opisano w rozdziale „Historia".

W okresie I wojny na linii Zwierzyniec – Biłgoraj tabor stanowiły rozmaite wagony i parowozy na tor 600 mm, kupione przez cesarsko-królewską armię z zasobów rozmaitych firm, producentów i handlarzy taborem. W przeciwieństwie do armii niemieckiej (Heeresfeldbahnen) Austriacy zamawiali w fabrykach niewielkie ilości nowego taboru i posiłkowali się używanym. Stosowane były wagony z linii gospodarczych oraz adaptacje platform, podobne do tych z czasów rosyjskich. Jak już wspomniano, Austriacy przenieśli część taboru z rozebranej linii wojskowej Bełżec – Trawniki. Początkowo, zgodnie z rozkazem numer 15 556/16, dla kolejki przydzielono tabor składający się z 6 lokomotyw, 110 wagonów skrzynkowych i platform oraz z 90 wózków kłonicowych do dłużycy. Dostawy te następowały stopniowo.

W okresie międzywojennym na linii pojawiły się też wojskowe parowozy niemieckie z I wojny (typu HF Brigadelok), ale było to już wynikiem przesyłania lokomotyw pomiędzy liniami PKP. Z innych kolejek dostarczono też wagony osobowe – w ten sposób na kolejce zwierzynieckiej znalazły się wyprodukowane w warsztatach linii Nowo-Święciańskiej i Antonowieckiej, położonych na dawnych kresach wschodnich Rzeczypospolitej. Niestety, nie dysponujemy szczegółowymi danymi z tych czasów. W okresie okupacji niemieckiej podczas II wojny światowej sporządzono zestawienie parowozów w związku z ich przenumerowaniem dla Deutsche Reichsbahn, brak natomiast danych o eksploatowanych wówczas wagonach. Większość z tego taboru Niemcy wywieźli przed opuszczeniem Zwierzyńca.

Po wojnie PKP znacznie zwiększyło rotację taboru, często bez wyraźnych przyczyn i na krótkie okresy. W latach 1944-1963 przez kolej zwierzyniecką przewinęło się około 28 parowozów. Niestety, nie udało się ustalić szczegółowych dat ich stacjonowania w WMD Zwierzyniec. Przeciętnie na linii jednocześnie było 6-7 sztuk. Dokumentacja szczegółowej ewidencji pobytów rozpoczyna się od inwentaryzacji 01.01.1963. Przesłania taboru następowały przede wszystkim z linii 600 mm w Dyrekcji Lubelskiej (Jędrzejowskiej KD) oraz sieci kolejek bydgoskich i ostrołęckich (myszynieckich). Wykorzystywane wagony osobowe na tor 600 mm były często przerobionymi wagonami wojskowymi z okresu I wojny. Ponadto sprowadzono wagony cięższej konstrukcji niż wojskowe, pochodzące z zakupów i produkcji własnej PKP.

Po przekuciu w 1964 r. pojawił się oczywiście nowy tabor – przede wszystkim polskie parowozy serii Px29, Px48 oraz wagony typów 1Aw i 3Aw. Sprowadzono też wagony motorowe, które jednak nie pracowały zbyt długo, bo ostatni odesłano już w roku 1969. Ostatnie dwa lata królowała ponownie trakcja parowa. Daty w tabelach z okresu po 01.01.1963 określają formalne zmiany w ewidencji środków trwałych i często różniły się od rzeczywistych dat przesłania taboru. Jako ciekawostkę można nadmienić, że klocków hamulcowych (do parowozów i wagonów) zużywano w latach 60. przeciętnie 2 000 sztuk rocznie.

Ze względu na czytelność tabel zastosowałem w nich dość dużo skrótów, które zostały objaśnione na końcu książki.

Parowozy na tor 600 mm

Brak jest szczegółowych informacji o stacjonowaniu parowozów w początkowym okresie istnienia kolejki, pierwsze dane są dość wyrywkowe. I tak np. dysponujemy zestawieniem na dzień 08. lipca 1917r. (Tabela 6.). Na linii pracowało wówczas 5 lokomotyw, w tym jedna należąca do JG I. Wszystkie wyposażone były w tendry. Kolejne dwa zestawienia zawierają listy lokomotyw: Tabela 7 – odesłanych z linii przed listopadem 1918 oraz Tabela 8 – stacjonujących na naszej kolejce dnia 03.11.1918.

Serie HB (austriackich kolei polowych) nadawano w oparciu o liczbę osi parowozu, zgodnie z regułą: 2 osie – seria II, 3 osie – seria III itd, litery porządkowały typy w grupy, według nacisku na oś w tonach: a = do 2,5; b = 2,5 - 3,0; c = 3,0 - 3,5; d = 3,5 - 4,0; e = 4,0 - 4,5; f = 4,5 - 5,0; g = 5,0 - 5,5.

Brak jest danych o stacjonowaniu lokomotyw w okresie międzywojennym. Zdjęcia zaświadczają jednak, że pojawiły się wówczas niemieckie Brigadelok HF (czteroosiowe). Ten typ lokomotyw obecny był również na naszej

Seria HB	Nr HB	Producent	Nr fabr.	Rok prod.	Uwagi
IIId	482	Jung	2252	1916	Ct, nr fabr. niepewny, 12,7t
IIId	483	Jung	2253	1916	Ct, 12,7t
IIIe	486	O&K	7248	1916	Ct, 14t
IIf	931	KrMu	7031	1916	Bt, 9t
IIe	906	Hano	7816	1916	Bt, własność JG I

Tabela 6. Parowozy stacjonujące w Zwierzyńcu 08.07.1917

Seria HB	Nr HB	Producent	Nr fabr.	Rok prod.	Uwagi
IIe	901	Heilbr	198	1885	Bt; pierwotnie 900mm?
III	52	O&K	6700	1913	Ct; z firmy prywatnej
IIIe	486	O&K	7248	1916	Ct; ex kk Quart.-meister Abtlg 14; Jędrzejów
IVb	501	Hen	15133	1917	Dt; nowa dla kuk HB

Tabela 7. Lista lokomotyw odesłanych z linii przed listopadem 1918 r.

Seria HB	Nr HB	Prod	Nr fabr.	Rok prod.	Uwagi
IIIc	377	Jung	2252	1916	Ex Smoschewer, Breslau
IIId	482	Jung	2552	1917	Podwójny nr na liście fabr; kuk Armee Komando; PKP A 1240; 99 1517
IIId	483	Jung	2553	1917	Podwójny nr na liście fabr; kuk Armee Komando; PKP A 1241; 99 1523 (Jędrzejów)
IIc	846	O&K	7345	1916	
IIc	848	O&K	269	1898	ex J. Borczyński > Smoschewer > kuk HB
IId	866	O&K	766	1900	ex Philip Überle Mannheim > Roszkowski > kuk HB
IId	867	O&K	792	1901	Btn2; ex Grosse Mühlauer Kohlenbahn, Berlin > kuk HB
IId	878	Han	4611	1906	ex Regner, Kassel
IIe	906	Han	7816	1916	ex Alwin Hirsch Dortmund
IIe	909	Hohenz	1893	1905	ex Deutsche Feld - u. Industriebahn, Danzig > Roszkowski > kuk HB
IIe	919	Jung	1513	1910	ex Leipziger & Co. dla Danii
IIf	931	KrMu	7031	1916	ex Smoschewer, Breslau

Tabela 8. Przydziały lokomotyw kuk HB na kolejkę z dnia 03.11.1918 r.

kolejce w czasie i po II wojnie, tak więc warto poświęcić mu kilka zdań. Były to lokomotywy masowo produkowane w kilku niemieckich fabrykach na potrzeby armii w latach 1914-1920 na tor 600 mm (łącznie zbudowano 2 573 sztuk). Miały nieco już wówczas przestarzały mechanizm rozrządu pary Stephensona, jednak armia niemiecka chciała zachować jednolite rozwiązania techniczne ze starszymi typami. W wyniku nacisku armii na upraszczanie konstrukcji zrezygnowano po testach z przegrzewacza pary oraz hamulca parowego. Aby ta dość długa, prawie sześciometrowa lokomotywa mogła pokonywać częste na wojennych kolejkach ostre łuki, wprowadzono osie przesuwne systemu Klien-Lindnera. Pierwsza i czwarta oś miały mechanizmy umożliwiające ich skręcanie. Rozwiązanie to sprawdziło się bardzo dobrze w praktyce. Osiągnięto też niewielki nacisk na oś – wynosił on jedynie 4 t. Było to ważne na liniach o słabym torowisku. Moc tych lokomotyw wynosiła 70 KM, a siła pociągowa 2 075 kg.

Charakterystyczną sylwetkę lokomotywy tworzyły przede wszystkim: długie skrzynie wodne (mieszczące 1 100 litrów) oparte na zewnętrznej ostojnicy, dwa zbiorniki piasku i zbieralnik pary pomiędzy nimi (na walczaku

Parowóz Brigadelok (KrMa 10195) na stacji Biłgoraj w okresie II wojny światowej. Napisy na parowozie: Ostbahn, czyli Kolej Wschodnia, oraz przedwojenny numer inwentarzowy PKP świadczą o tym, że zdjęcie wykonano pomiędzy rokiem 1939 a 1942. Ze zbiorów Teresy Kamińskiej

Pięcioosiowy parowóz Schwarzkopf w okresie międzywojennym na stacji Zwierzyniec. Ze zbiorów Muzeum Ziemi Biłgorajskiej

Pięcioosiowy parowóz HF (Schw 6813) w Szozdach w okresie II wojny światowej. Ze zbiorów Muzeum Ziemi Biłgorajskiej

Parowóz O&K 13464/1942 nie występuje w żadnych ewidencjach lokomotyw stacjonujących w Zwierzyńcu, ale został tu sfotografowany w okresie okupacji. Widoczny na zdjęciu maszynista T. Gończarowski wspominał brak środków czystości w czasie wojny, w wyniku czego ubranie robocze było wyjątkowo brudne. Ze zbiorów T. Gończarowskiego.

kotła) oraz kubłowy iskrochron na kominie. Na jednym ze zbiorników piasku montowany był uchwyt do przewożenia rur do pobierania wody. Dzięki zainstalowanemu pulsometrowi lokomotywy te mogły czerpać wodę nawet z przydrożnych strumieni. Osiągały prędkość do 25 km/h. Pracowały zwykle z doczepnymi czteroosiowymi tendrami.

Zgodnie z Planem Przenumerowania Kolei Rzeszy z 1942 na kolejce pracowały już prawie same typowe lokomotywy HF. Do wyjątków należał jeden parowóz trzyosiowy Jung jeszcze z czasów austriackich oraz pięcioosiowa lokomotywa wojskowa produkcji firmy Schwartzkopf.

Była to silniejsza maszyna stworzona na potrzeby armii niemieckiej pod koniec I wojny. Wobec jej zakończenia część z nich trafiła jako reparacja wojenna do Polski. W odróżnieniu od typu podstawowego (4-osiowego) miały nowocześniejszy rozrząd pary Heusingera. Obecnie w Polsce zachowała się tylko jedna sztuka tej serii i jest wyeksponowana w Suchej Beskidzkiej (Schwartzkopf 6808).

Przechodząc do okresu po zakończeniu II wojny światowej, warto zauważyć, że na wąskich torach PKP serie parowozów nie były miarodajne dla ich typów, tj. w ramach jednej serii istniały parowozy różnych producentów i różnych konstrukcji. Parowozy identyfikowane były przez swój numer porządkowy, choć i tu zdarzały się przenumerowania i korekty. Zgodnie z zestawieniami PKP po roku 1945 na linii przebywały lokomotywy na tor 600 mm przedstawione w tabeli 10.

Nr DR	Prod	Nr fabr	Rok	Uwagi
99 1517	Jung	2552	1916	Cn2t; kuk HB IIId 482; PKP A 1240; 1945 Raw Chemnitz
99 1576	Hen	15980	1918	Dn2t; HF 1103; PKP A 1241
99 1577	O&K	8402	1917	Dn2t; HF 1872; Eisenb.Park Rehagen – Klausdorf; PKP A 1029; Tx1 308; 1948: Jędrzejów; przemysł > 1952
99 1578	KrMa	7580	1919	Dn2t; HF 2601; Demob.Lager Parchim; PKP A1271; 1948: Mława; Tx1 317; ++ 06.12.48
99 1600	KrMa	10195	1919	Dn2t; HF Demolag Parchim; PKP A 1276; 1948: Mława; Tx1 334; przemysł>1956
99 1601	Hen	15253	1917	Dn2t; HF 1514; koleje litew.K4 434"; PKP A 4257 (dyr.Wilno); Tx1 321
99 1621	Schw	6813	1918	En2t; HF 2660; PKP A 1334; 1945 RBD Dresden; po wojnie cukrownia Dobrzelin

Tabela 9. Parowozy stacjonujące w Zwierzyńcu 25.02.1942 r.

Seria	Nr	Prod.	Nr	Rok	Uwagi
T1	12	O&K	13003	1938	Bn2t; pierw. firma prywatna; ex Jędrzejów
T1	30	Hen/ Chrz	24847	1949	Bn2t; z kotła Hen i części z Fabloku zbudowany w Chrzanowie 1949 lub 1950; '63 > T49 116 Żnin > istnieje w skansenie Repty (Tarnowskie Góry)
T2	67	O&K	13469	1942	pierw. firma prywatna; ze Zwierzyńca > KWK Czerwona Gwardia
Ty1	162	Hen	25971	1941	Cn2t; ex OKH Berlin typ HF 70C, Zwierzyniec 12.55.-03.64. > Witaszyce; Żnin;++05.12.67
Tx1	309	??	??	1916	Dn2t; HF; PKP A 4216 (dyr. Wilno); litewskie koleje K4 476; ze Zwierzyńca przekazany w 1953> Min Górnictwa
Tx1	310	LiHo	1337	1918	Dn2t; HF 2255; łotewskie koleje ML 662; 23.03.1950 > CZ PRK
Tx1	311	KrMa	7674	1919	Dn2t; HF 2816?; PKP A 376?; 99 1536 (Ciechanów)?; 13.02.52 > Warsztaty Drogowe w Skalmierzycach; uwaga: dane przed 1948 niepewne
Tx1	312	LiHo	1507	1917	Dn2t; HF 1707; PKP A 301; 99 1540 (Kujawy); ++01.12.1952
Tx1	313	Bors	9234	1915	Dn2t; HF 339 Feld. Dep. Hanau; PKP A 321; 99 1547 (Kujawy); +06.12.1948
Tx1	314	Hen	12560	1914	Dn2t; HF 258; PKP A 334; 99 1549 (Kujawy); 11.04.1951 > PRN Lublin
Tx1	346	O&K	7008	1914	Dn2t; HF 322; koleje litewskie K4 402; 99 1631; ++1953
Tx2	381	WSABP	60	1927	Dn2t; PKP A 1295; 99 1582 (Jędrzejów); ++29.04.1960
Tx2	382	WSABP	127	1928	Dn2t; PKP A 1310; 99 1592 (Jędrzejów); ++25.10.1956
Tx2	383	WSABP	95	1927	Dn2t; PKP A 1631; 99 1598 (Jędrzejów); 1961: Tx27 383; 1964 > Koronowo; ++1968
Tx2	384	WSABP	96	1927	Dn2t; PKP A 1632; 99 1599 (Jędrzejów); 1961: Tx27 384; ++06.10.1962
Tx2	386	KrLi	1393	1924	Dn2t; PKP A 1285; 99 1581 (Jędrzejów); 12.06.61: Tx3 386; ++06.10.1962
Tx3	422	Chrz	149	1926	Dn2t; PKP A 1306; 99 1588 (Jędrzejów);'50> Bydgoszcz; 1952: Bogoria; 1953: Jędrzejów; 12.06.61: Tx 26 422; ob. Wenecja
Tx3	424	Chrz	175	1927	Dn2t; PKP A 1308 (Pińczów); 99 1590 (Jędrzejów); 1948: Mława, 12.06.61: Tx26 424; 01.12.62 > Zwierzyniec 15.08.64 > Witaszyce; ++21.09.68
Tx4	502	Chrz	778	1944	Dn2t; Wyrzysk nr 28; 07.1959 z Białośliwia; 02.1960> Białośliwie; 1961: Tx6 502; obecnie Wenecja
Tx4	503	Chrz	1018	1944	Dn2t; Wyrzysk 29; 02.1960 z Białośliwia; 08.1960> Białośliwie
Tx23	551	Hano	10195	1923	Dn2t; PKP A 422; 61: Tx4 551; 04.09.62. z Mławy; 15.09.64 > Koronowo > Witaszyce ++19.06.70; tender Ztx 5084
Tx23	553	Hano	10201	1923	Dn2t; PKP A 428; 99 1585; 1961: Tx4 553; 29.12.62 z Mławy; 15.08.64 >Myszyniec; ++28.12.66; tender Ztx3-5124
Tx23	558	Hano	10205	1923	Dn2t; PKP A 822; 99 1597; przysłany 03.1955; w 08.1955 > ZNTK Piła; 1961: Tx4 558
Tx23	559	Hano	10194	1923	Dn2t; PKP A 421; 99 1559; 1961: Tx4 -559; Gniezno 1957 > Zwierzyniec; 29.12.62 > Mława; 22.03.63 > Witaszyce; sprzedany do Szwecji 27.07.77
Tx23	561	Hano	10199	1923	Dn2t; PKP A 426; 99 1574; 1961 z Białośliwia; 1961: Tx4 561; ++1964
Tx23	562	Hano	10196	1923	Dn2t; PKP A 423; 99 1579; 1958 z Białośliwia; 10.1960 > Mława; 1961: Tx4 558; przekuty na 750mm 07.01.63 i ozn. Tx4 1319

Px1	771	WSABP	94	1927	Dn2; Gnieźnieńska KP 5; od 1961 Px27; krótko w Zwierzyńcu około 1955; ++11.04.64
Px1	772	Bors	9236	1915	Dn2t; Gnieźnieńska KP 7; Px1 772 > Tx1 359 12.06.61; ++16.11.1962
Px27	774	Chrz	344	1929	ex Wyrzyskie Kol.Powiat. 26;
Px5	833	O&K	11038	1925	ex Bygd. Kol. Powiat. Nr 4"; Tx4 504; z Koronowa do Myszyńca; do Zwierzyńca; odesłany 07.07.64 z powrotem do Myszyńca; 12.06.61: Tx5-481 i już 29.07.61 kolejna zmiana ozn. na Px5-833; ++1966

Tabela 10. Zestawienie zbiorcze parowozów na tor 600 kolej Zwierzynieckiej po roku 1945

Seria	1952	1953	1954	1955	1957	1959	1960	1961	1963
Tx2 / Tx27	4	4	5	5	4	4	4	2	1
Tx3	3	-	-	-	-	-	-	1	
Tx1 772	1	1	-	-	1	1	1	1	
Tx23	-	1	-	-	1	1	1		
Tx4	-	-	-	-	-	1	2	1	1
Px27 771							1	1	1
T49									1
Ty1 162									1
Tx26									1
Px4									1
Px5 833									1
Razem	**8**	**6**	**5**	**5**	**6**	**7**	**8**	**7**	**8**

Tabela 11. Przybliżone okresy stacjonowania parowozów według serii

Parowóz T1-12 w Zwierzyńcu. Nad tylną czołownicą widać napis: „Napr. śr. 31.5.50. WMD Jędrzejów". Ze zbiorów Z. Tucholskiego

Przybliżone okresy stacjonowania parowozów według serii pokazuje tabela 11.

Z powyższych zestawień łatwo wyodrębnić daje się grupa 6 sztuk już wcześniej wspomnianego typu HF (Brigadelok), oznaczonych na powojennym PKP serią Tx1. Ponadto na kolejce pracowało także 6 maszyn z serii zakupionej w 1923 r. w firmie Hanomag i oznaczonej Tx23 (opis poniżej). Bogactwo pozostałych typów i serii oraz brak szczegółowych danych nie pozwala tu na ich szczegółowy opis. Dla przykładu wybrano kilka parowozów, tak by przybliżyć ciekawe konstrukcje na tor 600 mm.

T1-12 był jednym z grupy dwuosiowych parowozów przywiezionych w czasie II wojny światowej na naprawę do Jędrzejowa. Był to dwuosiowy tendrzak znormalizowany produkcji Orenstein & Koppel (Berlin). Posiadał mechanizm rozdzielczy pary systemu Heusingera z patentowym podwieszeniem wodzidła suwakowego systemu producenta. Dwa sprężynowe zawory bezpieczeństwa umieszczono na zbieralniku pary. Ręczny hamulec znajdował się na tylnej ścianie budki maszynisty, którą z tego powodu wzmocniono od zewnątrz kątownikami (na zdjęciu pionowy obok napisu WMD Jędrzejów). Niewidoczna na zdjęciu ręczna piasecznica umieszczona była na kotle i działała na obie osie. Na kolejce zwierzynieckiej T1-12 pracował z tendrem, pomimo braku drzwiczek w tylnej ścianie kabiny.

Dumna załoga stojąca przed jednym z parowozów WSABP, serii Tx2 w Zwierzyńcu. Zbiory Z. Tucholskiego

Podobny parowóz (O&K 12595, T1-09) znajduje się obecnie w Muzeum Kolei Wąskotorowej w Wenecji k. Żnina.

Parowóz T1-30 był złożony z kotła wyprodukowanego przez fabrykę Henschel w Kassel (Niemcy) oraz znormalizowanych części w Fabloku Chrzanów. Należał do serii „Riesa", w oparciu o którą po wojnie w Chrzanowie produkowano parowozy „Ryś". W roku 1961 oznaczono go T49-116, pracował na kolei w Żninie. Zachował się do dnia dzisiejszego w Skansenie Maszyn Parowych w Reptach (Tarnowskie Góry).

Szczególnie ciekawy był też parowóz Ty1-162, także z fabryki Henschla. Był to jeden z przedstawicieli serii nielicznej (17 sztuk) „Rollbahnlok", oznaczanej też HF 70C. Parowozy te były przeznaczone dla wojsk niemieckich w czasie II wojny światowej. Ze Zwierzyńca trafił do Witaszyc, a następnie do Żnina, gdzie został złomowany w roku 1967. Losy innych maszyn tej serii nie są znane, najpewniej zostały zniszczone na froncie wschodnim.

Lokomotywa Tx26-422 zbudowana została w Fabryce Lokomotyw w Chrzanowie dla Pińczowskich Kolei Powiatowych według starszego projektu austriackiego. Pracowała przez wiele lat na swojej macierzystej linii, po krótkim zapewne pobycie na linii zwierzynieckiej, trafił do Bydgoskich Kolei Dojazdowych, skąd został przekazany do Muzeum Kolei Wąskotorowej w Wenecji k. Żnina. Była to czteroosiowa maszyna o mocy 120 KM i wadze 15,4 t w stanie próżnym. Miała mechanizm rozrządu pary Heusingera, hamulec parowy, a początkowo także odiskiernik typu Rihoseka.

Po I wojnie światowej na kolei zwierzynieckiej parowóz Tx2-386 był jedynym pochodzącym z austriackiej fabryki Krauss Linz. Zwierzyniec 28.07.1957. Zbiory Z. Tucholskiego

Dwa wykonane w Zwierzyńcu zdjęcia autorstwa Z.Koryszki pokazują parowóz Tx4 561 z obu stron.

Parowóz Tx4-502 stacjonował na kolejce bardzo krótko (6 miesięcy), co, jak się wydaje, było jedyną jego „wycieczką" poza macierzystą Wyrzyską Kolej Powiatową. Ten czteroosiowy tendrzak zbudowała fabryka w Chrzanowie w okresie okupacji. Miał moc 110 KM i mechanizm parorozdzielczy Heusingera. Mógł pracować z tendrem doczepnym.

Pod koniec lat 50. rozpoczęto przysyłanie na kolejkę zwierzyniecką parowozów firmy Hanomag, pochodzących z zakupionych w 1923 roku 15 sztuk. Początkowo pracowały one na kolejach: kujawskiej, ostrołęckiej i jędrzejowskiej, następnie zostały rozproszone po Polsce. Przez naszą kolejkę przewinęło się ich łącznie 6 sztuk. Ich konstrukcja umożliwiała łatwą przebudowę z szerokości toru 600 na 750 mm. Były to czteroosiowe tendrzaki o mocy 140 KM i masie 16,2 t w stanie próżnym. Zastosowano mechanizm rozrządu pary typu Heusingera. Dość duże (2,5 m^3) skrzynie wodne usytuowane były symetrycznie po obu stronach

Parowóz Px1 771 w Zwierzyncu. Zdjecie autorstwa Z.Koryszki.

Parowóz Px5-833 pierwotnie pracował na kolei bydgoskiej. Tu sfotografowany w Zwierzyńcu w okresie 1961-1964. Autor Z.Koryszko

Wyrzyskie Koleje Powiatowe kupiły ten parowóz z roku 1929 z Pierwszej Fabryki Lokomotyw w Chrzanowie. Tu na zdjęciu w Biłgoraju. Autor Z.Koryszko

walczaka, zaś skrzynia węglowa znajdowała się z tyłu budki maszynisty. Kilka z nich przebudowano do pracy z tendrem doczepnym. Jeden z parowozów tej serii zachowany jest w Muzeum w Wenecji k. Żnina (Tx4-564).

Parowozy na tor 750 mm

Według inwentarzy środków trwałych PKP oraz zapisów w księgach parowozowych, na kolei zwierzynieckiej po przekuciu na tor 750 mm stacjonowały parowozy przedstawione w tabeli 12.

Jak można zauważyć, po przekuciu dominowały najliczniejsze na polskich wąskotorówkach parowozy serii Px48 wraz ze swoim poprzednikiem Px29.

Historia tych lokomotyw rozpoczęła się w roku 1929 w Warszawskiej Spółce Akcyjnej Budowy Parowozów. Zbudowano tam 21 sztuk nowego typu czteroosiowych parowozów z tendrem. Przed II wojną oznaczono je se-

Seria nr	Prod	Nr	Rok	Stacjonowania
T4-1044	Budich	932	1943	ex Reichenauer Kohlenbahn Nr.19; 13.01.66 z ZKD Poznań; 01.01.70 do ZKD Warszawa; ++1971
Px5-1614	Podolskij Zawod	426	1930	ex 159-426; z ZKD Gdańsk 1965; do Karczmisk 31.08.67; obecnie w Skansenie Maszyn Parowych, Repty
Px29-1704	WSABP	184	1929	z Przeworska 10.01.70; do Werbkowic 01.09.70
Px29-1705	WSABP	186	1929	z Werbkowic 30.12.65; 15.10.69 do Werbkowic; 10.03.71 z Werbkowic; do Werbkowic 15.05.71
Px29-1706	WSABP	155	1929	z Werbkowic 30.12.65; do Przeworska 31.08.67
Px29-1707	WSABP	159	1929	z Werbkowic 1.07.71; do Karczmisk 20.10.71
Px29-1711	WSABP	246	1930	z Werbkowic 1.09.70; do Karczmisk 01.07.71
Px48-1727	Chrzanów	2027	1950	z Kazimierzy Wlk. 1970; do Kazimierzy 01.09.70
Px48-1728	Chrzanów	2028	1950	ze Zbierska 01.10.64; do Kazimierzy Wlk. 30.12.65
Px48-1734	Chrzanów	2119	1951	wg. relacji pracowników pracował w WMD Zwierzyniec
Px48-1737	Chrzanów	2122	1951	z Kazimierzy Wlk. 1967; do Kazimierzy Wlk. 01.08.70.; tender Ptx48-1740
Px48-1745	Chrzanów	2130	1951	z Jędrzejowa 30.12.65; do Starachowic 15.05.71
Px48-1767	Chrzanów	3052	1953	z Jędrzejowa 15.10.69; do Werbkowic 01.07.71
Px48-1768	Chrzanów	3053	1953	z Jędrzejowa 23.10.68; do Karczmisk 15.05.71.; tender Ptx48-1765 (zmiana numeru tendra na 1768 09.06.1970)
Px48-1779	Chrzanów	3066	1953	z Jędrzejowa 08.67; do Jędrzejowa 01.69
Px48-1788	Chrzanów	3224	1954	ze Zbierska 10.64; 11.07.65 do Kazimierzy Wlk.
Pxa9-1811	Chrzanów	468	1931	ex Łotwa Rp762; ex Pwa 1811; z Kazimierzy Wlk 07.66; do Kazimierzy Wlk 24.07.71 tender: Pt9y-1811; ++05.04.75
Px48-1906	Chrzanów	3236	1955	z Przeworska 28.09.64; do Karczmisk 06.66; tender Ptx48-1751
Px48-1927	Chrzanów	3230	1955	ex Px48 2701 (785mm); ex Px48 3230 (Huta Kościuszko); z Bogorii 01.09.70; do ZKD Poznań 15.05.71

Tabela 12. Zbiorcze zestawienie parowozów na tor 750 mm stacjonujących na kolei Zwierzynieckiej

Px29 1705 na stacji w Zwierzyńcu. Oba zdjęcia wykonał T.Suchorolski dnia 9 lipca 1971r., kiedy to na szlak wyjeżdżały już jedynie pociągi rozbiórkowe. Na górnym widać fragment drewnianej szopy, na dolnym wieży wodnej.

rią Wp29 „Wilno". W stanie próżnym parowóz ważył prawie 20 t. Przy długości całkowitej 7 m mógł pokonywać łuki o promieniu 35 m dzięki przesuwnej czwartej osi (po 15 mm na boki). Miał moc 180 KM, siłę pociągową 3835 kG i pracował na parę przegrzaną. Zastosowano stawidło Heusingera. Po płaskim torze mógł ciągnąć skład o wadze 720 ton z prędkością 13 km/h. Prędkość maksymalna wynosiła 35 km/h. Pracował z czteroosiowym tendrem o pojemności skrzyni wodnych 6 m^3. Była to udana konstrukcja. Dwa egzemplarze zachowały się w Muzeum Kolei Wąskotorowych w Sochaczewie. Na kolej zwierzyniecką parowozy tej serii przybywały głownie z macierzystej kolei hrubieszowskiej.

Po wojnie w 1948 r. w FABLOKU Chrzanów, w oparciu o zachowaną dokumentację Wp29, stworzono nieco zmienioną serię Px48. Jednocześnie przedwojenne maszyny oznaczono nową serią Px29.

Parowozy Px48 niewiele różniły się od swojego pierwowzoru: zmieniono kształt budki maszynisty, a zbieralnik pary i piasecznicę umieszczono we wspólnej obudowie. Nieznacznie zwiększono powierzchnię rusztu i przegrzewacza. Masa własna wzrosła o 200 kg. Łącznie FABLOK zbudowały 120 sztuk serii Px48. Od lat 60. XX wieku popularne „peiksy" zdominowały wąskotorówki o szerokości 750 mm w całym kraju. Do dziś, już jako pomniki, spotkać je można prawie na każdej linii wąskotorowej, a kilka jest nadal w ruchu.

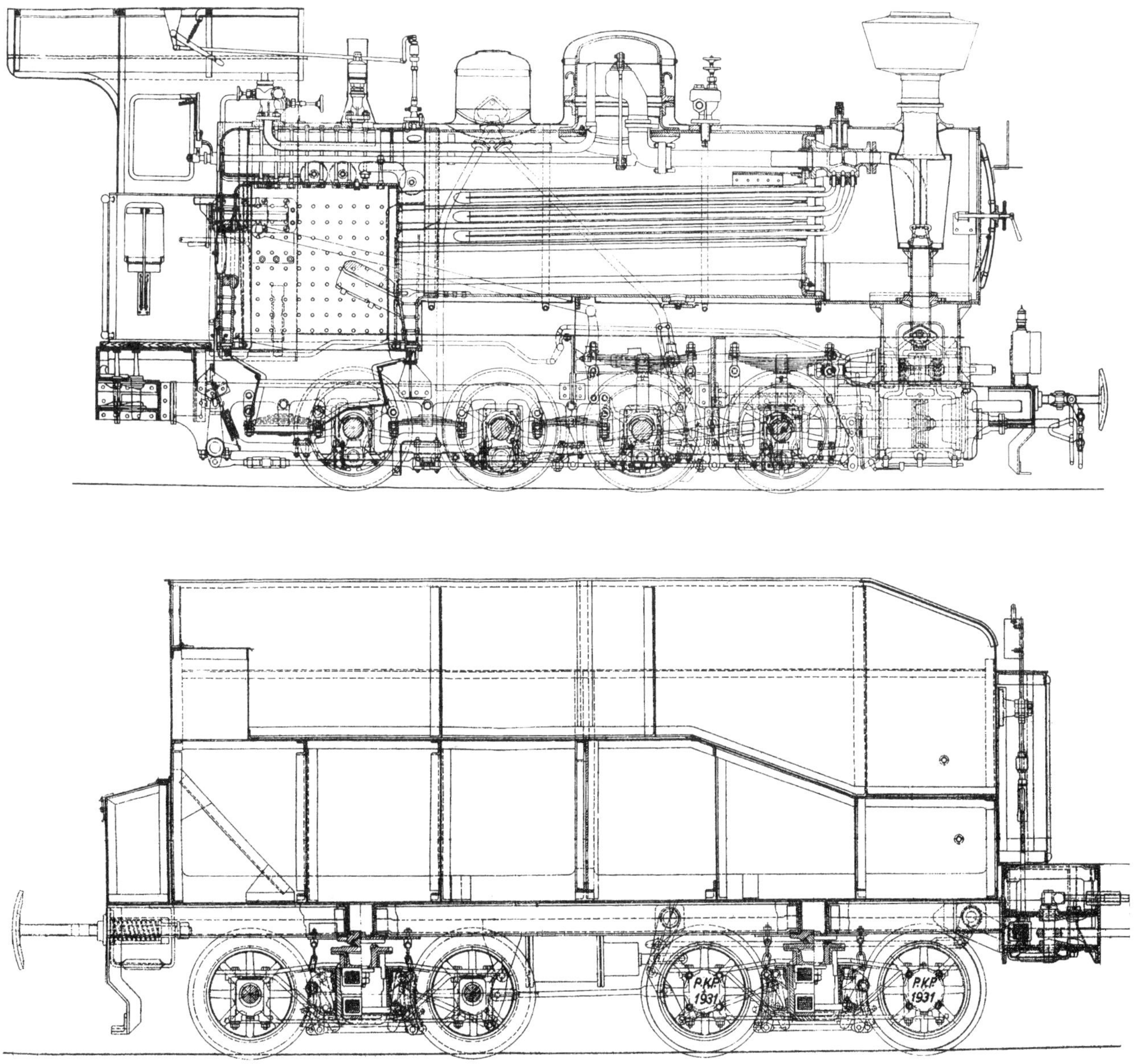

Oryginalny, przedwojenny rysunek parowozu Wp29 i jego tendra. Ze zbiorów Z. Tucholskiego

Parowóz T4-1044 w Zwierzyńcu.
Ze zbiorów W. Wojasiewicza

Ponadto przez Zwierzyniecką Kolej Dojazdową w tym okresie przewinęło się kilka parowozów serii rzadziej spotykanych. Są to: T4-1044, Px5-1614 i Pxa9-1811.

Historia parowozu T4-1044, produkcji zakładów Budich we Wrocławiu (dawna fabryka Smoschewera), rozpoczyna się w czasie II wojny, kiedy to wyprodukowano kilka dwuosiowych tendrzaków tego typu. Posiadały stawidło Heusingera i prasę smarną Friedmanna. Ciśnienie pary wynosiło 12 atm, całkowita powierzchnia ogrzewalna wynosiła 30,1 m^2, a rusztu 0,57 m^2. Cylindry miały średnicę 260 mm i skok 420 mm. W stanie próżnym parowóz ważył 15 t, w stanie służbowym – 18,1 t. Dwa z nich pozostały w 1945r. w parowozowni Trzebnica (oznaczono je T3-1043 i 1044).

Do roku 1950 numer 1044 pracował na kolei wrocławskiej, następnie przesłano go na odbudowaną linię w Bogatyni. W Bogatyni jeździł z doczepnym tendrem Zt3-5281. Po likwidacji kolejki w Bogatyni w roku 1964 trafił do Zwierzyńca. Tu pracował przede wszystkim przy przetokach na st. Zwierzyniec. W tym czasie oznaczony był już jako T4-1044. Ze Zwierzyńca odesłano go dnia 01.01.1970 do Werbkowic, a następnie do Ełku, gdzie też skreślono go z inwentarza i złomowano. Bliźniaczy parowóz 1043 znajduje się w Muzeum Kolejnictwa w Sochaczewie.

Parowóz T4-1044 wykonywał głównie prace przetokowe w Zwierzyńcu. Dlatego na stałe zdemontowano mu jeden reflektor. Tu widoczny z dwoma wagonami normalnotorowymi na transporterach.
Ze zbiorów W. Wojasiewicza

Parowóz Px5-1614 wyprodukowany w Fabryce Podolskiej (ZSRR) w roku 1930, według projektu fabryki w Kołomnie, był czterosiową maszyną na parę przegrzaną o mocy 174 KM, średnicy cylindrów 290 mm i skoku tłoka 300 mm. Należał do licznej w ZSRR serii 159 (w kilku fabrykach wyprodukowano w latach 1930-1941 około 1000 sztuk), następcy serii wojskowych parowozów Kołomny N86 (wspomnianych w rozdziale o kolejce polowej Chełm – Biłgoraj). Z powodu unifikacji wiele elementów serii 159 było takich samych jak w N86. Nie był to jednak projekt udany. Zbyt mała powierzchnia skrzyni ogniowej i przegrzewacza powodowały nieekonomiczne spalanie[11]. Parowozy te posiadały stawidło Heusingera oraz ruszt o powierzchni 0,684 m^2. Ważyły w stanie próżnym 18,3 t oraz rozwijały dopuszczalną prędkość 25 km/h. Px5 -1614 pracował z tendrem Pt3-1614, który przewoził 3 m^3 wody oraz 1,5 tony węgla. W czasie II wojny światowej Niemcy przewieźli go z kolei na podbitych terenach ZSRR do Gdańska lub Karczmisk, skąd przesłano go do Zwierzyńca. Pracował tu jedynie rok. Odesłany został do Karczmisk, a obecnie zachowany jest w skansenie w Reptach (Tarnowskie Góry).

Także lokomotywa oznaczona Pxa9-1811 miała skomplikowaną historię. Wyprodukowano ją w roku 1931 w chrzanowskim Fabloku na eksport do Łotwy, w ramach serii obejmującej 6 sztuk. Na Łotwie oznaczono ją Rp 762. Pod koniec II wojny światowej ten jeden egzemplarz został wywieziony z Łotwy przez Niemców i następnie przejęty przez PKP. Oprócz Zwierzyńca lokomotywa ta pracowała w WMD Kazimierza Wielka na linii jędrzejowskiej. Skasowano ją cztery lata po zamknięciu kolejki zwierzynieckiej. Była do silna maszyna na parę przegrzaną, o mocy 450 KM, o wadze w stanie próżnym 29,2 t. Miała 4 osie napędne i przednią oś toczną. Zastosowano mechanizm parorozdzielczy Heusingera i wyposażono ją w hamulec parowy. Na walczaku kotła znajdowały się dwa zbieralniki pary i piasecznica. Pracowała z własnym trzyosiowym tendrem z charakterystyczną osłoną budki maszynisty.

Po przekuciu naprawy rewizyjne i średnie parowozów wykonywano w Bogorii, Jędrzejowie, a bardziej skomplikowane (zarówno średnie, jak i główne) w ZNTK Nowy Sącz. W momencie likwidacji na linii stacjonowały jeszcze: Px29-1705, Pxa9-1811 oraz trzy maszyny serii Px48: 1927, 1768, 1767.

Wagony motorowe

Po przekuciu w 1964 r. na tor o szerokości 750 mm sprowadzono nowoczesne wówczas wagony motorowe. Podczas uroczystego otwarcia pierwszy pociąg prowadzony był wagonem MBd1-121 produkcji warsztatów w Lisewie (Gdańskie Koleje Dojazdowe) z roku 1961. Formalnie sprowadzono go z Gdańskich Kolei Dojazdowych dopiero 16.12.1964, co pokazuje, że daty w dokumentacji PKP należy traktować z pewnym dystansem (jeździł on wówczas na naszej linii już ponad miesiąc). Formalnie wagon ten był przeróbką z wagonu osobowego, jednak praktycznie była to od podstaw nowa konstrukcja. Wynikało to najpewniej z łatwiejszych formalności dopuszczenia do ruchu. Jego ciężar wynosił 10,5 tony. Pudło wagonu było metalowe, wyposażony był w silnik wysokoprężny o mocy 100 KM z przekładnią mechaniczną i sterowaniem ręcznym. Na kolej zwierzyniecką trafił bezpośrednio z Lisewa w 1964 r., do Werbkowic przesłano go 31.08.1967, a więc po trzech latach pracy. W 1987 r. przekazano go do Jędrzejowa, gdzie przebudowany został na drezynę Dkd 604 i skasowany w roku 1989. Zarówno wagon motorowy, jak i towarzyszące mu wagony osobowe typu 3Aw pomalowane były na kolor kremowy od linii okien wzwyż oraz granatowy poniżej. Według relacji byłych pracowników wagon ten uległ poważnej awarii na podjeździe koło Tereszpola – urwał się wał, niszcząc elementy podłogi i wyposażenia.

Wkrótce po przekuciu (formalnie 01.10.1964) z dyrekcji poznańskiej sprowadzono też wagon MBxd1-190, wyprodukowany jeszcze przed wojną (1938 r.) w Zakładach Ostrowieckich w Ostrowcu Świętokrzyskim. Ważył 16,8 tony i miał moc 180 KM. W WMD Zwierzyniec pracował o dwa lata dłużej niż poprzedni – do 15 października 1969 r., kiedy to odesłano go do Werbkowic. W roku 1970 przebudowano go na wagon mieszkaniowy do pociągu zmechanizowanego KD Hrubieszów. W połowie lat 70. identyczny numer wagonu specjalnego nadano innemu pojazdowi. Był to 4-osiowy wagon osobowy zmodernizowany w latach 50. w ZNTK Opole, który pozostając na ilostanie PKP, fizycznie pracował wówczas na kolei leśnej w Bieszczadach. Prawdopodobnie właśnie wtedy omawiany wagon motorowy został fizycznie skasowany.

11 Wady te usunięto w parowozach P24, następcy serii 159. Nieco zmodernizowana wersja z 1944 r.,oznaczona PT4, była masowo produkowana nie tylko w ZSRR, ale i w Polsce (Kp4)

Wagony motorowe MBd1-121 i MBxd1-190 10.10.1964 na stacji Biłgoraj. Zdjęcie ze zbiorów P. Staszewskiego

W styczniu 1966 r. lub według innych źródeł w lipcu 1967 r. z Krośniewic sprowadzono wagon motorowy MBxd1-163, powstały z przebudowy w 1965 roku w krośniewickich warsztatach wagonu osobowego typu 1Aw. Jego waga to 18 ton, wyposażony był w silnik S53. Odesłano go już po roku (31.08.1967) do Jędrzejowa, skąd z kolei został przekazany z powrotem do dyrekcji poznańskiej w grudniu 1968 r. Do dnia dzisiejszego podobny wagon jeździ w Krośniewicach, gdzie nazywany jest „Łajką".

Tak więc na kolejce zwierzynieckiej, po pięciu latach prób, skończyła się era wagonów motorowych. Znowu pociągi ciągnęły parowozy. Być może przyczyną tej zmiany mogły być duże przewozy towarowe i mała przepustowość linii, które wymusiły prowadzenie ruchu pociągami mieszanymi. W relacjach byłych pracowników pojawia się też kwestia wysokiej awaryjności wagonów motorowych oraz niemożności ich naprawy w Zwierzyńcu wobec braku odpowiedniego zaplecza warsztatowego.

Wagony osobowe

Nie dysponujemy niestety informacjami o wagonach osobowych kursujących w początkowych latach istnienia linii. Na zdjęciach z tego okresu widoczne są przerobione wagony towarowe oraz wagony z kolejki wojskowej Bełżec – Trawniki. W latach międzywojennych pojawiły się typowe konstrukcje wojskowe na tor 600 mm. Z lat dwudziestych pochodzą pierwsze zestawienia liczbowe: łącznie na linii było ich aż 14 sztuk, z czego czynnych 7-8, pozostałe kwalifikowano jako „zdatne, zbędne". W roku 1928 odesłano je na inne linie. Trudno dziś stwierdzić, skąd na kolei zwierzynieckiej wziął się taki nadmiar wagonów osobowych. W latach 1924-1928 nie wykazywano natomiast żadnych wagonów bagażowych ani pocztowych. W 1937 r. na linii były 3 wagony osobowe i dwa bagażowe, jednak nie wiadomo nic bliższego na ich temat. Najprawdopodobniej były to wagony trzeciej klasy, przejęte po kolejkach wojskowych (typu HF) albo budowane od roku 1927 we własnym zakresie przez PKP w kilku warsztatach. Jak już wcześniej wspomniano, okupanci wywieźli je w roku 1944. Po wyzwoleniu Lubelska Dyrekcja PKP sprowadziła wagony z kolei jędrzejowskiej. W 1954 r. było ich 8 sztuk, ponadto jeden bagażowy i jeden pocztowy. W 1958 r. w lokomotywowni Zwierzyniec wykonano szkice następujących wagonów serii Bx: 214, 216, 217, 221, 452, oraz bagażowo-pocztowy Gx 4544. Były to wagony drugiej klasy (klasę trzecią na PKP zlikwidowano w 1956 r., przemianowując ją na klasę drugą), czteroosiowe, długości około 9 m, z ogrzewaniem piecowym (piec typu „koza") w wagonie. W wagonach o numerach 214, 452 ławki usytuowane były wzdłuż ścian. Natomiast wagon 216 był dzielony: w połowie miał ławki wzdłuż ścian, a w połowie w układzie poprzecznym, prawdopodobnie był to wcześniej wagon II/III klasy. Liczba miejsc siedzących była różna, wynosiła około 20-28.

Pierwsza kompletna lista wagonów pochodzi z inwentaryzacji przeprowadzonej 1 stycznia 1963 roku. Przedstawia ją tabela 13.

Jak widać, na linii eksploatowano 8 wagonów osobowych drugiej klasy. Sześć z nich odesłano przy przekuciu do Myszyńca, a dwa skasowano na miejscu.

Na kolei zwierzynieckiej po przekuciu na tor 750 mm eksploatowano jedynie 3 sztuki wagonów osobowych (tabela 14).

Seria	Nr	Producent	Rok produkcji	Uwagi
Bxhi	214	warsztaty kolei antonowieckiej	1927	> 09.12.64; cięż. wł. 5,8 t; oświetl. świecowe
Bxhi	216	warsztaty kolei antonowieckiej	1931	++14.05.64; cięż. wł. 7,49 t; oświetl. elektr.
Bxhi	217	warsztaty kolei antonowieckiej	1930	++21.06.68; cięż. wł. 7,92 t; oświetl. elektr.
Bxhi	221	warsztaty kolei jędrzejowskiej	1927	> 09.12.64; cięż. wł. 7,92 t; oświetl. elektr.
Bxhi	225	Nowo – Święciany	1931	> 09.12.64; cięż. wł. 7,9 t; oświetl. świecowe
Bxhi	226	warsztaty kolei jędrzejowskiej	1927	> 09.12.64; cięż. wł. 7,92 t; oświetl. świecowe
Bxh	452	Zieleniewski, Sanok	1930	> 09.12.64; cięż. wł. 6,3 t; oświetl. świecowe
Fxh	3840	warsztaty kolei antonowieckiej	1930	> 09.12.64; cięż. wł. 6,05 t; oświetl. świecowe; wagon bagażowy

Tabela 13. Lista wagonów osobowych na tor 600 mm 01.01.1963 r.

Seria	Nr	Producent	Nr fabr./rok prod.	Uwagi
Bxhpi	1947	Pafawag	782/ 1961	typ 3Aw; 1965 z Charsznicy; 1971 do Karczmisk
Bxhpi	1939	Pafawag	774/1961	typ 3Aw; 1965 z Jędrzejowa; 1971 do Karczmisk
Bxhpi	1643	Świdnica	?/1956	typ 1Aw; z Jędrzejowa (data nieznana); do Jędrzejowa 29.09.71

Tabela 14. Lista wagonów osobowych na tor 750 mm

Wagon osobowy nr 221 na tor 600 mm, widoczny w tle budowy budynku biurowego na stacji Zwierzyniec na początku lat '60 XX wieku. Autor Z.Koryszko.

Wykolejony wagon bagażowo--pocztowy w okresie okupacji. Po lewej stronie wagonu obok okna widoczna szczelina do wrzucania listów. Z widocznego po lewej stronie zdjęcia tendra od parowozu cały czas wycieka woda. Przed torami widoczne wkopane w ziemię patentowe podkłady metalowe. Ze zbiorów Muzeum Ziemi Biłgorajskiej

Należały one do standardowych typów wagonów produkowanych po wojnie w Polsce: 1Aw z fabryki w Świdnicy i 3Aw z Pafawagu Wrocław. Były to wagony większe niż poprzednio stosowane w Zwierzyńcu (38 miejsc siedzących; 14,2 m długości), o całkowicie metalowym pudle, wyposażone w oświetlenie elektryczne, ogrzewanie i przedziały WC. Wagony typu 3Aw charakteryzowały się lepszym odsprężynowaniem, dzięki czemu wzrastał komfort podróży. Jeździły one aż do likwidacji kolejki. W zachowanych dokumentach odnotowano naprawę średnią wagonu 1947 w ZNTK Nowy Sącz w lipcu 1966 r. Oba typy wagonów spotkać można jeszcze obecnie na kilku kolejach wąskotorowych w Polsce.

Wagony towarowe i specjalne

Pierwsze zestawienia liczbowe wagonów towarowych pochodzą jeszcze z roku 1916. Na budującej się jeszcze linii eksploatowano przede wszystkim wózki kłonicowe do wożenia dłużycy (nazywanych „trukami"). Oczywiście pnie drzew przewożono zawsze za pomocą dwóch sztuk wózków, pomiędzy którymi leżały same pnie – tak więc w użyciu było 70 ich par. Użytkowano wówczas podane w tabeli 15 ilości wagonów.

Wagony skrzyniowe	69
Platformy	55
Truki	48
Truki wypożyczone od JG I	91
Razem	263

Tabela 15. Liczba wagonów towarowych w 1916 r.

W maju 1917 r. nie dotarło jeszcze obiecane 90 wózków kłonicowych, w zamian za to Industriegruppe I wypożyczyło swoje. Dodatkowo MGG dostarczyło 14 wagonów towarowych odkrytych z burtami i 21 par wózków kłonicowych. Na linii wykorzystywano dwie drezyny (prawdopodobnie ręczne).

Nieznane są bliższe dane dotyczące tych wagonów, prawdopodobnie była to zbieranina różnych typów.

We wczesnych latach 20. XX w. na kolei zwierzynieckiej było nadal ponad dwieście wagonów towarowych. W związku ze spadkiem przewozów w roku 1926 w sprawozdaniach statystycznych ponad sto sztuk opisano jako zbędne. Liczba ta następnie spadała i tak w roku 1928 użytkowano 128 sztuk, zbędnych było jedynie 22. Nie wiemy, czy zmniejszenie ogólnej ich liczby o prawie 30 sztuk było wynikiem kasacji, czy też odesłania na inne linie. Nie jest też jasne, czy były wówczas na linii wagony kryte. W końcu roku 1937 w Zwierzyńcu wykazano 15 wagonów krytych, a tylko 96 odkrytych i jeden specjalny.

Nie znamy żadnych danych dotyczących parku wagonowego w okresie II wojny światowej. Bezpośrednio po wojnie na kolejce ocalało jedynie 10 wagonów krytych, 28 węglarek, 30 platform i 9 wózków kłonicowych.

Wycieczka na platformach kłonicowych? Czemu nie! Rok 1943. Ze zbiorów Muzeum Ziemi Biłgorajskiej

W następnych latach, z powodu wzrastających przewozów, zwiększeniu ulegała liczba wagonów towarowych. W lipcu 1955 r. na kolejce pracowało łącznie 121 wagonów towarowych, w tym krytych – 32, węglarek – 56, platform – 19. Par wózków leśnych było 11, używano też 3 wagony inne.

W 1957 r. wagonów krytych było 33 sztuki, dwa lata później już 50. Po przekuciu w związku z wprowadzaniem transporterów liczba ta malała – w 1968 było ich już tylko 18. Podobnie było z innymi typami: platform było 17 sztuk (1957-1959), a po przekuciu tylko 4. Węglarek było 68 sztuk w 1957 r., 84 sztuki w 1959 r., ale tylko 18 w 1968 r.

Szczegółowy wykaz wagonów towarowych, poczynając od inwentaryzacji w roku 1963, znajduje się w załączniku na końcu książki.

Po przekuciu do Zwierzyńca sprowadzono przede wszystkim wagony towarowe produkcji powojennej, znormalizowane z fabryk w Świdnicy i Chorzowie. W momencie likwidacji na linii znajdowały się: 23 węglarki, 13 wa-

Niewidoczny na zdjęciu parowóz ciągnie mieszany skład osobowo-towarowy na tor 600 mm. Widać rozmaite typy wagonów krytych – dwu- i czteroosiowe. Na końcu składu dopięto próżne platformy kłonicowe. Ze zbiorów Muzeum Ziemi Biłgorajskiej

Prace na terenie st. Zwierzyniec. W tle widoczne wagony towarowe typu Osmag na tor 600 mm. Autor: Z. Koryszko

gonów krytych, 6 platform, Sl-9, 28 transporterów, 2 brankardy, wagon ratunkowy oraz pług odśnieżny Kddx 77662 (ex 32152; przysłany z Jędrzejowa 06.02.1964; po likwidacji wysłany do Karczmisk).

Ponadto na linii wykorzystywano 3 drezyny ręczne (jedną z nich widać na zdjęciu stacji Biłgoraj z 1971 r.), nie było natomiast drezyn motorowych.

W Zwierzyńcu używany był też tender Zt4x-5122 produkcji fabryki Lilpopa z Warszawy (nr fabryczny 48439) z 1920 roku. Miał on ciężar własny 5,8 t i pojemność skrzyni wodnych 4 m³. Skasowano go dnia 12.05.1967. Najprawdopodobniej służył jako zbiornik przeciwpożarowy na stacji Zwierzyniec.

Pracownicy kolejki przy zbiorniku przeciwpożarowym na stacji w Zwierzyńcu. W tle widoczny wagon osobowy. Autor: Z. Koryszko.

W okresie od października 1916 r. do kwietnia 1917 r., oprócz pociągów roboczych wyprawianych na potrzeby budowy linii, wożono drewno do tartaków Grupy Przemysłowej I w Zwierzyńcu oraz w niewielkim zakresie inne towary. W aktach AGAD zachował się jedyny egzemplarz raportu z jazd z tego okresu. Oryginał to wypisany odręcznie formularz w języku niemieckim, częściowo nieczytelny i niekompletny. Tłumaczenia w nawiasach kwadratowych pochodzą od autora (tabela 16).

Na tym przykładzie widać, że tego dnia lokomotywa wywiozła ze Zwierzyńca 33 próżnych wagonów a przywiozła 20 pełnych. Krzyżowania z innymi składami następowały w Szozdach lub w samym Zwierzyńcu. Trudno się dziwić, że budowa linii postępowała wolno, skoro część sprzętu i pracowników woziła wówczas tak intensywnie towary.

W celu odparcia zarzutów inspektora von Schedy o wożeniu wyłącznie prywatnych towarów, komendant Roller podawał konkretne liczby. Dzięki temu znamy liczby przewiezionych ładunków oraz ich odbiorców (tabela 17).

Zug nr 5 [Poc. nr]				08.01.1917		
Lokomotive:	3			Lokführer [maszynista]:	Benczkowski (?)	
Hamulcowi:	4 osoby			Zugführer [kier. poc.]:	Nowaczek (?)	
					Wagen [wagonów]	
Zug Nr [Poc. Nr]	Stadion [Stacja]	An [Przyj.]	Ab [Odj.]	Kreutz [Krzyżowanie]	Beladen [Ładownych]	Leer [Próżnych]
5	Zwierzyniec		08.00	4		10
6	Szozdy	08.40	09.40	7	8	
11	Zwierzyniec	10.30	10.45	10		10
11	Szozdy	11.23	11.24			
14	Tereszpol	11.45	12.30		6	5
14	Szozdy	12.50	13.00	15	6	
17	Zwierzyniec	13.35	14.05	16		7
18	Szozdy	14.40	15.00	19		
	Zwierzyniec	15.35	16.00	20		6
	Szozdy	16.48	17.00		6	
	Zwierzyniec	17.30				

Tabela 16. Raport z jazdy dnia 8 stycznia 1917r.

Od otwarcia 1 października 1916 r. do końca tegoż roku uruchomiono łącznie 514 pociągów, przewieziono 3 176 wagonów ładownych, wykonano prace 523 976 bruttotonokilometrów, sprzedano 76 sztuk biletów i przewieziono łącznie 13 394 t towarów (głównie drewna i desek).

W ciągu pierwszych siedmiu miesięcy 1917 r. przewieziono 56 420 t towarów oraz wykonano pracę 1 198 851 bruttotonokilometrów, ładując łącznie 18 673 wagony (przeciętnie 9 wagonów w pociągu). Co ciekawe, od stycznia do kwietnia roku 1917 nie przewożono pasażerów, przynajmniej oficjalnie. W okresie kwiecień-lipiec podróżowało ich natomiast 3 722. Austriacy przewozili przede wszystkim drewno (ładownie w Malowanym Moście, Tereszpolu, bocznice do lasów w Hedwiżynie i do tartaku w Woli Małej), wapno z Bukownicy, zboże, pasze i zaopatrzenie.

W okresie sierpień-wrzesień 1917 r. wyprawiono 1 111 pociągów, dla JG I przewieziono 20 542 tony towarów (przede wszystkim drewno i deski, wapno, węgiel drzewny), dla innych odbiorców 2 066 ton (drewno, pasza,

Pociąg na torze 600 mm. Zdjęcie ze zbiorów Krzysztofa Klimeckiego

zaopatrzenie). Ponadto przewieziono wówczas 8 367 osób (w sierpniu – 4 188). Wpływy z ruchu towarowego wyniosły 12 327 koron (w tym w sierpniu – 8 464 K), z osobowego – 10 548 koron (w tym w sierpniu – 5180 K). Wykonano pracę 534 818 bruttotonokilometrów (sierpień – 297 755).

W sierpniu 1917 r. dzienna liczba pociągów sięgała niekiedy ponad 30, jednak zwyczajowo było kilkanaście (łącznie 589). Przewieziono 12 738 ton netto. W sierpniu 1918 r. wyprawiono 202 pociągi, wykonano pracę 198 640 bruttotonokm, przewieziono 7 372 osoby i przewieziono 5 831 t towarów. W pierwszych latach eksploatacji do wyciągania wagonów na bocznicach używano koni, co było możliwe wobec małej ładowności posiadanych wagonów.

Porównując dostępne dane, zauważyć można dużą intensywność ruchu w czasie I wojny – szacowana praca kolejki w 1917 r. wyniosła około 2 300 000 btkm, 4000 pociągów przewiozło imponującą ilość 100 000 ton towarów oraz 17 000 pasażerów.

W okresie międzywojennym rocznie wyprawiano mniej pociągów, natomiast praca kolei była porównywalna (przykładowo w roku 1928 – 1790 pociągów, w 1937 – 1700). Związane to było najpewniej z wprowadzeniem wagonów o większej ładowności oraz lepszą organizacją przewozów. Oczywiście na przewozach na pewno odbił się wielki kryzys gospodarczy lat 1929-1933, ale nie dysponujemy za ten okres danymi. Pewną wskazówką mogą być rozkłady jazdy pociągów osobowych, zwłaszcza zważywszy, że kursowały wówczas głównie pociągi mieszane.

Dla	Rodzaj ładunków	Maj 1917 r.	1-18.06.1917
JG I	Drewno	6 348 t	2 469 t
MGG	Pasza dla koni, żywność dla żołnierzy	1 224 t	210 t
Cywilne	Podkłady dla kolei państwowych; drewno	615 t	519 t
Razem		8 187 t	3 198 t

Tabela 17. Przewozy w roku 1917

rok	liczba pociągów	liczba pasażerów	towarów netto [t]	przebieg btkm
1916	514	76	13 394	523 976
1917	3 823	15 386	91 324	2 033 669
1918	202	7 327	5 831	198 640
1924	2 890	-	-	-
1926	1 718	-	-	1 562 000
1927	1 314	-	-	1 383 000
1928	1 789	-	-	2 306 000
1937	1 704	-	-	2 253 000
1947	-	119 665	50 008	-
1952	-	131 140	-	-
1953	-	144 772	-	-
1954	-	130 908	75 574	-
1958	-	166 000	124 000	-
1959	-	157 000	124 000	-
1960	-	119 134	122 740	-
1965	-	95 279	149 462	-
1968	-	83 735	179 930	-

Tabela 18. Przewozy kolei Zwierzynieckiej w latach 1916-1968

Zdecydowanie przeważały nadania towarów przeładowywanych na tor normalny, innymi słowy, kolej zwierzyniecka służyła wywozowi, a nie przywozowi. Niewielkie były ilości towarów przewożonych wewnątrz kolejki (pomiędzy jej stacjami). W roku 1927 z toru normalnego przeładowano towary na nieco ponad 1 000 wagonów wąskotorowych, a na tor normalny naładowano z ponad 3 700 wagonów wąskotorowych. W roku 1937 proporcja ta była jeszcze bardziej znacząca: 900 do prawie 6500. Powodem były oczywiście masowe wysyłki drewna.

W okresie powojennym znacznie wzrosły przewozy pasażerskie, osiągając ponad 160 000 osób pod koniec lat pięćdziesiątych, spadając do 83 000 w roku 1968. Przewozy towarowe natomiast wzrastały od niewielkich wielkości po II wojnie (50 000 t) do prawie 180 000 t przed likwidacją. Niewątpliwie wzrost ten był jednym z powodów zbudowania na tej trasie linii normalnotorowej. Tym bardziej, że opracowania planistów były bardzo ambitne i kilkukrotne zwiększenie przewozów zakładały już w ciągu kilku lat. Kolejka zwierzyniecka nie doczekała więc charakterystycznego dla lat późniejszych spadku przewozów.

Przewożone w czasie I wojny światowej drewno pochodziło przede wszystkim z ładowni w Malowanym Moście, Szozdach, Tereszpolu, bocznicy leśnej w Hedwiżynie i do tartaku w Woli Małej, kamień wapienny wożono z Bukownicy, natomiast zboże, pasze i zaopatrzenie do Biłgoraja. Od czasu pierwszego rozkładu jazdy, kiedy to przejazd pociągu mieszanego na całej długości linii trwał 3,5 godziny, do roku 1937 przeciętna szybkość techniczna pociągów mieszanych wzrosła do 18 km/h zaś handlowa do 14,0 km/h. Ta ostatnia w ciągu roku 1937 nieco spadła, prawdopodobnie w związku ze zwiększeniem liczby pociągów mieszanych kosztem osobowych.

Warto porównać wskaźniki pracy kolejki zwierzynieckiej z innymi liniami. W tym samym roku 1937 praca kolejki jędrzejowskiej była ponad 10-krotnie większa (ale i jej długość temu odpowiadała: 312 km), hrubieszowskiej zaś ponad dwukrotnie (przy 128 km długości). W Radomskiej Dyrekcji PKP porównywalna była z kolejką nałęczowską (1,5 miliona nettotonokilometrów przy 34 km długości). Natomiast pod względem proporcji wywozu do przywozu (przeładunku z kolei normalnotorowej) w Dyrekcji Lubelskiej PKP nie było kolei wąskotorowej o podobnych wskaźnikach, a nawet w skali kraju było to zjawisko nietypowe. Podobne proporcje wykazywała także kolejka ostrołęcka (myszyniecka) w Dyrekcji Warszawskiej.

W okresie międzywojennym przychody kolei wąskotorowych PKP w kraju pochodziły przede wszystkim z ruchu towarowego (85% w 1925 r. i aż 89% w 1929 r.). Podobnie zapewne było i na naszej linii.

Nieznane są wielkości przewozów w czasie II wojny. Pierwsze dane pochodzą z roku 1947. Plany przewozowe na rok 1952 podają jako podstawowe towary wywożone: drewno (Państwowa Centrala Drzewna Zamość 11 509 t, czyli prawie połowa załadunku), zaś jako przywożone: węgiel dla GS-ów (11 954 t, czyli 76% przyjęcia z torów normalnych).

O ile jeszcze w 1953 r. największym klientem kolejki była Składnica Paged w Tereszpolu (19 678 t), o tyle w roku 1955 ich miejsce zajęły PZGS w Biłgoraju (przywóz – 33 262 t, wywóz – 3 769 t), daleko mniejsze przewozy odbywały się dla innych firm: Lubelskiego Okręgowego Przedsiębiorstwa Obrotu Zwierzętami Rzeźnymi w Biłgoraju (wywóz – 5 629 t) czy Państwowych Zakładów Zbożowych Biłgoraj (wywóz zboża – 3744 t). Wywóz drewna przez Paged ze składnicy w Tereszpolu spadł wówczas do 3 248 t.

W latach 1958-1959 praca kolei nadal rosła i osiągnęła około 3 200 000 nettotonokilometrów. Szczyt przewozów miał miejsce we wrześniu/październiku, zaś minimum w grudniu/styczniu, przy czym różnice wynosiły około 20%.

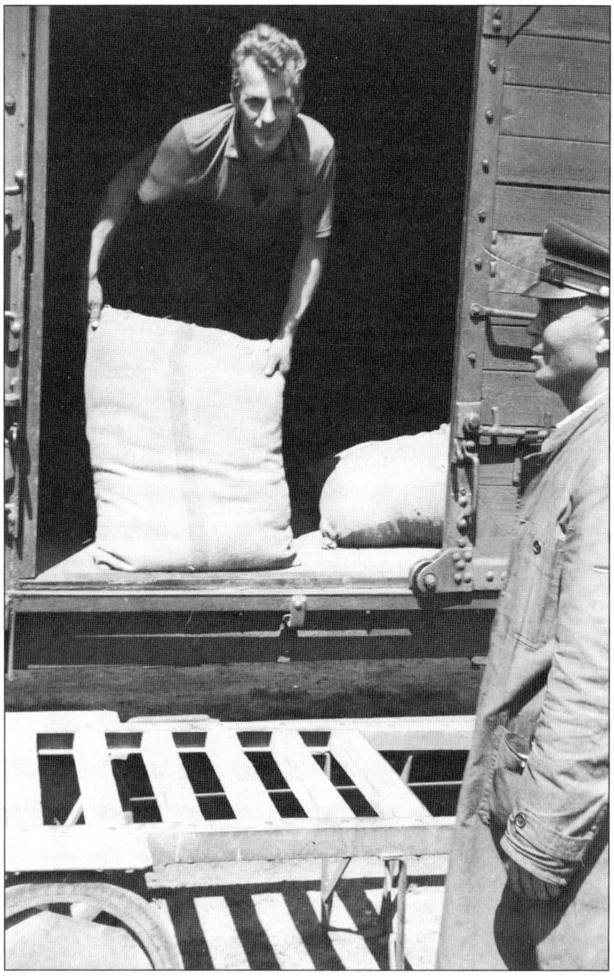

Przeładunek ręczny w Zwierzyńcu. Lata 60. Autor: Z.Koryszko

Wpływy pieniężne z ruchu towarowego były czterokrotnie wyższe niż z osobowego i wynosiły odpowiednio 2 123 000 zł i 558 000 zł w roku 1958. Warto porównać te kwoty z wydatkami: przewóz ładunków kosztował 2 409 000 zł, a osób 1 005 000. Tak więc kolej przynosiła 733 000 zł strat, wynikających w 61% z ruchu osobowego. Nie jest przy tym jasne, jak kwalifikowano koszty ogólne (np. administracyjne) ani czy prawidłowo przyporządkowywano wpływy do poszczególnych relacji, a więc do danych tych odnosić się należy z dużą rezerwą.

Nazwa punktu ład.	Przybycie [t]	Odejście [t]
Tor przeładunkowy	61 826	2 890
Tor transporterowy	87 686	15 545
Razem	149 512	17 435

Tabela 19. Przeładunki wykonane na stacji Zwierzyniec Wąsk. w roku 1968

Średni postój wagonu na torze przeładunkowym w Zwierzyńcu wynosił 29 godzin, na torze transporterowym – 53 godziny. Pomimo przekucia i zastosowania transporterów ponad 41% ładunków przychodzących przeładowywane było nadal na wagony wąskie. Nadania następowały prawie wyłącznie od razu na wagonach normalnotorowych (89%).

Przeładunki w 1968 r. w Zwierzyńcu składały się z następujących grup towarowych (tabela 20 i 21).

Rodzaj ładunku z przybycia	Udział (%)
Materiały budowlane	82
Węgiel	10
Nawozy sztuczne	6
Inne	2

Tabela 20. Przeładunki towarów przyjętych w Zwierzyńcu w 1968 r.

Rodzaj ładunku z nadania	Udział (%)
Ziemiopłody	42
Surowiec tartaczny	30
Owoce, rośliny włókniste	18
Wapno, cegła silikatowa	8
Inne	2

Tabela 21. Przeładunki towarów wysyłanych ze Zwierzyńca w 1968 r.

Zmniejszył się udział węgla w towarach przywożonych (od 76% w 1952 r.) oraz drewna w wywożonych (od 50% w 1952 r.) na rzecz materiałów budowlanych i ziemiopłodów.

Ładunki przewożone na naszej linii przeznaczone były przede wszystkim dla stacji Biłgoraj i ładowni: Tereszpol, Hedwiżyn i Rapy. Stacja Tereszpol przyjmowała węgiel i nawozy sztuczne (łącznie 2 125 t rocznie), zaś nadawała kopalniaki i dłużycę drewnianą (8 490 t rocznie). Hedwiżyn przyjmował rocznie 10 540 t i nadawał 14 904 t ładunków. Rapy przyjmowały 2 162 t, a nadawały 8 490 t rocznie. Większe ilości towarów przechodziły przez stację Biłgoraj: przybycia wyniosły 18 435 t (w tym 2 890 t na bocznicy), a nadania 133 904 t (z bocznicy 48 758 t).

Pod koniec istnienia znaczącymi klientami kolejki były wówczas: Biłgorajskie Zakłady Przemysłu Terenowego i Materiałów Budowlanych (węgiel, kruszywo, materiały budowlane), PZGS (artykuły przemysłowe i ziemiopłody), Baza Produkcji Leśnej „Las" w Biłgoraju (wyroby drzewne, runo leśne), Włosiankarska Spółdzielnia Pracy w Biłgoraju (węgiel, przędza, wyroby gotowe) oraz posiadające własną bocznicę Zakłady Wapienno-Piaskowe w Hedwiżynie (materiały budowlane i elementy gotowe). Ponadto dla mniejszych klientów wożono towary tak różnorodne, jak nasiona, ziemniaki, jaja, żywy drób, żywiec, sklejkę, meble, a nawet części samochodowe. Łącznie w ciągu roku 1968 przeładowano 14 019 wagonów (257 886 t) z przywozu i 8 305 wagonów (144 515 t) z wywozu. Przewieziono też wówczas 7 t bliżej nieokreślonych ładunków wojskowych.

W ostatnich latach istnienia obserwujemy wyraźny spadek przewozów pasażerskich, co wynikało niewątpliwie z rozwoju komunikacji samochodowej. Mimo modernizacji kolejka była wolna i mało wygodna, pasażerowie chętniej korzystali z usług PKS. W porównaniu z rekordowym rokiem 1958 przewozy te spadły aż o połowę, natomiast dochodowy ruch towarowy cały czas wzrastał.

Wypadki

Nie zachowały się niestety żadne dokumenty dotyczące wypadków na kolei zwierzynieckiej. Jedyne informacje pochodzą z relacji byłych pracowników oraz ze zdjęć. Z pewnością częste były wykolejenia, jednak na kolejach wąskotorowych jest to dość powszechne i rzadko pociąga za sobą poważniejsze konsekwencje, zwłaszcza jeśli weźmiemy pod uwagę niewielką prędkość pociągów. O tego rodzaju zdarzeniach jest mowa w dokumentach austriackich z czasów I wojny, zachowało się także kilka zdjęć z okresu międzywojennego i II wojny światowej. Jesienią 1945 r. lub 1946 r. miał miejsce poważny wypadek, w którym zginęły dwie osoby. Lokomotywa prowadząca popołudniowy pociąg mieszany z Biłgoraja wykoleiła się w okolicy stacji Szozdy. Według informacji od naocznych świadków wózki kłonicowe z dłużycą, doczepione na końcu składu, zgniotły i spiętrzyły wagony osobowe znajdujące się bezpośrednio za lokomotywą. Zginął pracownik PKP jadący na dłużycy oraz pasażer stojący na pomoście wagonu osobowego. W wypadku brał udział parowóz dwuosiowy, a więc najpewniej był to T1-12.

W okresie II wojny światowej wykonano zdjęcie wykolejenia się wagonu bagażowego i tendra pięcioosiowego parowozu wojskowego. Ze zbiorów Muzeum Ziemi Biłgorajskiej

Dwa zdjęcia tego samego wypadku w okresie międzywojennym. Z nieznanych powodów doszło do wykolejenia parowozu (najpewniej Jung 2552, PKP A 1240) i kilku wagonów, zastanawiający jest fakt urwania przedniego zderzaka lokomotywy.

Według niepotwierdzonych relacji świadków do awarii wagonu motorowego doszło w dość niefortunnym momencie uroczystego otwarcia linii po przekuciu w październiku 1964 r. Na szczęście stało się to tuż przed stacją Biłgoraj i pociąg dotoczył się do właściwego miejsca siłą rozpędu.

Rozkłady Jazdy

W dokumentach austriackich wymieniony jest pierwszy rozkład jazdy – od 15.06.1917 kursowała jedna para *„personen-führenden Gueterzuegen"*, a więc pociągów mieszanych towarowo-osobowych:

5.00	↓	*Zwierzyniec*	↑	*14.30*
8.27		*Biłgoraj*		*11.00*

Zwraca uwagę niezwykle długi czas podróży: trzy i pół godziny. Prędkość handlowa wyniosła więc tylko 8 km/h (!). Wynikało to zapewne z wyższego priorytetu, jaki miał ruch towarowy – do pociągów mieszanych na stacjach dołączano i odłączano wagony, wykonywano związane z tym manewry, co znacznie wydłużało postoje. W marcu 1918 r. pociąg ten nie jest wymieniany, a więc być może został zawieszony lub w zamieszaniu końca wojny po prostu nie wpisano go do oficjalnych rozkładów. Być może wynikało to z podporządkowania naszej linii 4 c.k. armii, jako takiej nie ujętej w rozkładzie drukowanym przez MGG.

Nie wiemy nic o kursowaniu pociągów w latach 1918-1921. Pierwszy znany rozkład jazdy po odzyskaniu niepodległości dla naszej kolejki pochodzi dopiero z roku 1922. Kursowały wówczas trzy pary pociągów: ranna, południowa i wieczorna (biorąc pod uwagę wyjazdy ze Zwierzyńca). W Biłgoraju nie przewidywano dłuższych postojów.

W roku 1923 przejściowo zwiększono liczbę par do czterech, jednak już w 1924 r. powrócono do trzech. W latach kolejnych liczba pociągów nadal spadała: już w 1927 r. tylko jedna para kursowała codziennie (wyjazd rano ze Zwierzyńca, powrót późnym popołudniem z Biłgoraja). Pominąwszy pociągi *„kursujące w miarę potrzeby za oddzielnym ogłoszeniem"*, ta jedna para istniała do końca 1935 r. – z tym, że w latach 1931 i 1932 kursowała tylko w poniedziałki i czwartki. Tak mały ruch na linii wynikał zapewne z kryzysu gospodarczego lat 1929-1933. Pod koniec okresu międzywojennego (w 1935 r. oraz od maja 1937 r.) wprowadzono drugą parę, wieczorną.

Od 15 maja 1933 r. otwarto publiczny ruch osobowy, bagażowy i towarowy na zbudowanej w latach 20. bocznicy do zakładów ordynackich w samej miejscowości Zwierzyniec. Od tego dnia do około 1947 r. (z wyjątkiem okresu maj 1934 r.-maj 1935 r. oraz lat II wojny światowej) pociągi do Bił-

416 ZWIERZYNIEC — BIŁGORAJ

Linja wąskotorowa

—		o *Zawada* . . . . *413* p	—
—		p *Zwierzyniec* . . . . . *413* o	—
9 18		o *Rawa Ruska* . . . . *413* p	*18 45*
11 09		p *Zwierzyniec* . . . . *413* o	*16 50*
51 2.3.		*Dyr. Radomska*	52 2.3.
1)	Km		1)
11 30	0	o ZWIERZYNIEC . . . 413 p	15 56
11 57	6	Szozdy (p. o.)	15 33
12 20	11	Terespol Wąski	15 10
12 33	14	Bukownica	14 53
12 55	19	Jadwiżyn	14 32
13 08	23	Rapy	14 11
13 20	26	p BIŁGORAJ . . . . o	14 00

.1) Kursuje tylko w poniedziałki i czwartki.

Rozkład jazdy na lato 1932 r.

416 ZWIERZYNIEC WIEŚ WĄSK. — BIŁGORAJ

Linja wąskotorowa

5 15	—		o *Zawada* . . . . *413 p*	21 01	—
5 54	—		p *Zwierzyniec* . . . . . . *413 o*	20 24	—
—	—		o *Rawa Ruska* . . . . . *413 p*	18 07	—
—	—		p *Zwierzyniec* . . . . . *413 o*	16 19	—
51 2.3.	53 2.3.		*Dyr. Radomska*	52 2.3.	54 2.3.
	§	Km			§
7 40	15 30	0	o ZWIERZYNIEC WIEŚ WĄSK. p	15 20	—
8 10	15 40	2	Zwierzyniec Wąsk.	15 10	—
8 29	—	8	Szozdy (p. o.)	14 36	—
8 49	—	13	Terespol Wąsk.	14 13	—
9 04	—	16	Bukownica	14 02	—
9 25	—	21	Jadwiżyn	13 41	—
9 40	—	25	Rapy	13 31	7 30
9 55	—	28	p BIŁGORAJ . . . . o	13 15	7 20

Rozkład jazdy na rok 1933. Pociąg 54 jest błędnie umieszczony: kursował w relacji Zwierzyniec Wąsk. – Zwierzyniec Wieś Wąsk.

209 b. Zwierzyniec—Biłgoraj 209 b.

		M 651 2—3	M 653 2—3	M 655 2—3		*Dyrekcja P. K. P. Radom.*	M 652 2—3	M 654 2—3	M 656 2—3		
—	—	5 45	11 30	18 15	2	o Zwierzyniec Wąski . . p	10 27	16 47	22 57	—	—
—	—	6 17	12 03	18 47	5	Szosdy	9 58	16 15	22 28	—	—
—	—	6 37	12 24	19 07	11	Terespol	9 38	15 55	22 08	—	—
—	—	6 59	12 47	19 29	14	Bukownica Wąska	9 16	15 31	21 46	—	—
—	—	7 29	13 18	19 58	19	Hedwiżyn	8 43	15 08	21 23	—	—
—	—	7 47	13 36	20 16	23	Rapy	8 29	14 44	20 59	—	—
—	—	8 00	13 49	20 29	26	p Biłgoraj . . . . o	8 15	14 30	20 45	—	—

Pierwszy znany rozkład jazdy PKP (od 01.06.1922 r.)

533 n Zwierzyniec – Bilgoraj
(Schmalspurbahn)
Alle Züge nur 3. Klasse

	2400		2402		2404		km	Zug Nr *Gedob Krakau* Zug Nr		2401		2403		2405	
...	4.30	...	13.00	...	21.00	...	0,0	ab **Zwierzyniec** 533 p .... an	...	8.21	...	17.46	...	1.16	...
...	4.53	...	13.23	...	21.23	...	5,9	Szozdy	...	7.59	...	17.24	...	0.54	...
...	5.12	...	13.42	...	21.42	...	10,5	Terespol Wask, ...	...	7.40	...	17.05	...	0.35	...
...	5.23	...	13.53	...	21.53	...	13,8	Bukownica (Distr. Lublin)	...	7.29	...	16.54	...	0.24	...
...	5.46	...	14.21	...	22.21	...	19,2	Jadwizyn	...	7.10	...	16.35	...	0.05	...
...	6.01	...	14.36	...	22.36	...	23,4	Rapy	...	6.51	...	16.11	...	23.41	...
...	6.11	...	14.46	...	22.46	...	26,4	an **Bilgoraj** .... ab	...	6.40	...	16.00	...	23.30	...

533 n Zwierzyniec – Bilgoraj
(Schmalspurbahn)
Alle Züge nur 3. Klasse

	2400		2402		2404		km	Zug Nr *OBD Warschau* Zug Nr		2401		2403		2405	
...	5.00	...	12.35	...	16.50	...	0,0	ab **Zwierzyniec** 533 p .... an	...	8.45	...	15.48	...	20.31	...
...	5.23	...	12.55	...	17.13	...	5,9	Szozdy	...	8.23	...	15.29	...	20.09	...
...	5.42	...	13.12	...	17.32	...	10,5	Terespol Schm.	...	8.04	...	15.12	...	19.50	...
...	6.03	...	13.30	...	17.43	...	13,8	Bukownica	...	7.53	...	15.03	...	19.39	...
...	6.16	...	13.41	...	18.06	...	19,2	Jadwizyn	...	7.34	...	14.46	...	19.20	...
...	6.31	...	13.54	...	18.21	...	23,4	Rapy	...	7.15	...	14.29	...	19.01	...
...	6.41	...	14.03	...	18.31	...	26,4	an **Bilgoraj** .... ab	...	7.04	...	14.20	...	18.50	...

Dwa okupacyjne rozkłady jazdy: górny ważny od 17.05.1943, dolny od 03.07.1944.

23			ZWIERZYNIEC — BIŁGORAJ Linia wąskotorowa								
			1	3	km	Dyr. Lubelska	2	4			
—	—	—	7.00	19.10	0	o ZWIERZYNIEC WIEŚ . p	18.51	—	—	—	—
—	—	—	7.30	20.00	2	Zwierzyniec Wąsk.	18.43	0.21	—	—	—
—	—	—	7.46	20.16	8	Szozdy (p. o.)	18.18	0.06	—	—	—
—	—	—	8.14	20.43	12	Terespol Wąsk.	17.52	23.40	—	—	—
—	—	—	8.27	20.56	16	Bukownica	17.37	23.26	—	—	—
—	—	—	8.57	21.26	21	Jadwiżyn	17.18	23.07	—	—	—
—	—	—	9.13	21.42	25	Rapy	16.52	22.41	—	—	—
—	—	—	9.23	21.52	28	p BIŁGORAJ .... o	16.40	22.30	—	—	—

Pierwszy powojenny rozkład jazdy (1946 r.)

42—URJ

556											ZWIERZYNIEC WĄSK. — BIŁGORAJ Linia wąskotorowa										
—	—	—	20.14	—	—	—	5.01	—	14.08		o Lublin ....550 p	11.18	—	20 32	—	4.05	—	—	—	—	—
—	—	—	20.58	—	—	—	5.45	—	15.16		o Chełm ....550 p	10.19	—	20.03	—	—	—	—	—	—	—
—	—	—	22.09	—	—	—	5.52	—	14.14		o Hrubieszów ....554 p	10.56	—	19.34	—	—	—	—	—	—	—
—	—	—	22 47	—	4.52	—	—	—	14.45		o Bełżec ....553 p	—	—	19.19	—	2.08	—	—	—	—	—
			2241 2		2243 2		2245 2		2247 2		Dyrekcja Lubelska	2240 2		2244 2		2246 2					
										km											
—	—	—	1.34	—	5.10	—	10.45	—	18.30	0	o ZWIERZYNIEC WĄSK. .. p	5.49	—	15.38	—	23.05	—	—	—	—	—
—	—	—	1.53	—	6.29	—	11.04	—	18.49	6	Szozdy (Op)	5.31	—	15.20	—	22.47	—	—	—	—	—
—	—	—	2.12	—	6.46	—	11.21	—	19.06	11	Tereszpol Wąsk. (Od)	5.12	—	15.01	—	22.28	—	—	—	—	—
—	—	—	2.23	—	6.57	—	11.32	—	19.17	14	Bukownica (Op)	5.00	—	14.49	—	22.14	—	—	—	—	—
—	—	—	2.43	—	7.15	—	11.54	—	19.39	20	Hedwiżyn (Op)	4.40	—	14.29	—	21.54	—	—	—	—	—
—	—	—	3.00	—	7.30	—	12.09	—	19.54	24	Rapy (Op)	4.21	—	14.14	—	21.37	—	—	—	—	—
—	—	—	3.10	—	7.40	—	12.15	—	20.04	27	p BIŁGORAJ .... o	4.10	—	14.03	—	21.26	—	—	—	—	—

Rozkład jazdy na rok 1958

556											ZWIERZYNIEC WĄSK.—BIŁGORAJ									Linia wąskotorowa	
—	21.00	—	—	—	—	—	14.20	—	—		o Lublin ....550 p	—	—	11.04	—	—	20.30	—	—	3.47	—
—	23.50	—	—	—	—	—	16.50	—	—		o Zamość ....554 p	—	—	8.36	—	—	17.54	—	—	1.28	—
—	0.39	—	—	—	—	—	18.05	—	—		p Zwierzyniec ....554 o	—	—	6.04	—	—	16.22	—	—	0.03	—
—	23.00	—	—	4.59	—	—	15.05	—	—		o Bełżec ....554 p	—	—	9.41	—	—	16.34	—	—	1.43	—
—	0.02	—	—	6.02	—	—	16.10	—	—		p Zwierzyniec ....554 o	—	—	8.38	—	—	15.15	—	—	0.40	—
	2211 2			2251 2			2215 2				Dyrekcia Lubelska			2212 2			2252 2			2216 2	
										km											
—	1.30	—	—	6.20	—	—	19.00	—	—	0	o ZWIERZYNIEC WĄSK 554 p	—	—	5.22	—	—	15.05	—	—	23.00	—
—	1.40	—	—	6.32	—	—	19.10	—	—	6	Szozdy (Op)	—	—	5.13	—	—	14.54	—	—	22.51	—
—	1.50	—	—	6.45	—	—	19.20	—	—	11	Terezpol Wąsk. (Od)	—	—	5.00	—	—	14.42	—	—	22.38	—
—	1.56	—	—	6.54	—	—	19.26	—	—	14	Bukownica (Op)	—	—	4.54	—	—	14.31	—	—	22.32	—
—	2.06	—	—	7.07	—	—	19.36	—	—	19	Hedwiżyn (Op)	—	—	4.44	—	—	14.18	—	—	22.22	—
—	2.14	—	—	7.17	—	—	19.44	—	—	24	Rapy (Op)	—	—	4.35	—	—	14.08	—	—	22.13	—
—	2.19	—	—	7.24	—	—	19.49	—	—	27	p BIŁGORAJ .... o	—	—	4.29	—	—	14.00	—	—	22.07	—

815

Rozkład jazdy na rok 1967. Dwie pary pociągów oznaczono jako prowadzone wagonami motorowymi

goraja kursowały ze st. Zwierzyniec Wieś Wąsk. Ponadto od maja 1933 r. do maja 1934 r. kursowała (tylko w dni nauki szkolnej) dodatkowa para pociągów w relacji Zwierzyniec Wąsk. – Zwierzyniec Wieś Wąsk. W 1948 r. wykazano jeszcze samą stację Zwierzyniec Wieś, ale bez obsługujących ją pociągów.

W okresie okupacji prowadzono trzy pary pociągów: pierwsza para wyjeżdżała wcześnie rano ze Zwierzyńca i od razu wracała; druga para wyruszała zaraz po południu i także po krótkiej przerwie w Biłgoraju wracała; trzecia (wieczorna) wyruszała około 21.00 i o 23.00 rozpoczynała powrót w drogę powrotną.

Bezpośrednio po II wojnie na linii kursowały dwie pary pociągów: przed południem wyjazd ze Zwierzyńca i powrót po południu oraz wieczorny wyjazd ze Zwierzyńca powracający świtem, tak by pracownicy mogli dojechać na 6.00 czy 7.00 rano do pracy.

Od rozkładu obowiązującego latem roku 1950 ustabilizowały się trzy pary pociągów oraz jeden pociąg w dni robocze dowożący pracowników rano do Biłgoraja.

Ówczesną podróż z Lublina do Biłgoraja tak wspominano w piśmie Tanew (wydawanym przez NSZZ „Solidarność") w 1990 r.: *„Pamiętam doskonale jak wyjeżdżało się z Lublina około godziny 20.20 jednego dnia, aby po dwóch przesiadkach do Biłgoraja dotrzeć następnego dnia nad ranem. Ostatni odcinek pokonywało się koleją, zwaną wówczas ciuchcią. Latem jazda ta przypominała krajoznawczy spacer wśród lasu, ale zimą była wyjątkowo uciążliwa. W wagonach ogrzewanych żelaznymi piecykami było potwornie gorąco, dużo czadu".* Opisane połączenie widać na powyższym rozkładzie jazdy (poc. 2241).

Od nowego rozkładu na jesień-zimę 1964 r. (ważny od 27.09.1964 do 29.05.1965) przesunięto pociąg z 10.30 na około 6.30 i zlikwidowano dodatkowy pociąg kursujący w dni robocze. Ważniejszą zmianą, wynikającą z przekucia na tor 750 mm oraz z wprowadzenia wagonów motorowych było skrócenie czasu jazdy aż o 30% (z 1 godziny 30 min do 1 godziny i 4 minut). W następnych latach pociągi motorowe kursowały jeszcze szybciej: w 1967 r. pokonanie całej trasy zajmowało rozkładowo jedynie 50 minut.

Od maja roku 1966 r. jedną parę ponownie prowadzą parowozy (był to pociąg mieszany), a od czerwca 1969 r. w rozkładach nie ma już wcale oznaczeń pociągów motorowych. Jak wspomniano, prawdopodobnie duże przewozy towarowe przy małej przepustowości linii wymusiły stosowanie pociągów mieszanych, a tych wagony motorowe prowadzić nie mogły. W kolejnych latach występowały różnice minutowe, niekiedy związane ze zmianą rozkładu jazdy skomunikowanych pociągów normalnotorowych, jednak zasadniczy układ pociągów pasażerskich nie zmienił się aż do likwidacji linii.

Nie dysponujemy niestety danymi o rozkładach pociągów towarowych aż do późnych lat 60. (oczywiście poza informacją o pociągach mieszanych). Nie zachowały się też Służbowe Rozkłady Jazdy. Wiadomo jedynie, że w roku 1956 kursowały 4 pociągi towarowe do Biłgoraja i 5 powrotnych (por. rozkład jazdy z 1958 r. – poc. 2243 wracał jako towarowy). Na początku lat 60. w obie strony kursowało po 5 pociągów towarowych. Po wprowadzeniu transporterów we wrześniu 1965 r. rozkładowo jeździły już tylko 4 pary, z czego dwie transporterowe (2271/2272 i 2277/2280 wyjeżdżające ze Zwierzyńca odpowiednio o 4.00 i 14.35). Z powodu ograniczenia prędkości składów transporterowych do 15 km/h na szlaku i 10 na łukach zaistniała konieczność korekty rozkładu jazdy, aby zapewnić krzyżowania w Tereszpolu, Hedwiżynie i Szozdach.

Rodzina Łońskich w okresie międzywojennym na stacji Biłgoraj. Na drugim planie wagon osobowy 3 klasy. Zdjęcie ze zbiorów Teresy Kamińskiej

Pracownicy

Dostępne dane dotyczące zatrudnienia są bardzo wyrywkowe. Pochodzą one z niektórych zachowanych rozporządzeń i dokumentów PKP oraz z rozmów z byłymi pracownikami. W związku z przejściem kolei zwierzynieckiej pod zarząd kolei hrubieszowskiej często stosowano oddelegowanie lub długoterminowe przeniesienia pomiędzy obiema liniami.

Wiemy, że w roku 1917 zatrudniano maszynistów cywilnych, byli to: Antoni Todys, Johann Zybina; Józef Koźmiński; Stanisław Sobek i Antoni Kolasiński. Ponadto pracowało wówczas jeszcze pięciu wojskowych i pięć osób z JG I. Władze austriackie aktywnie poszukiwały wykwalifikowanych pracowników byłych kolei rosyjskich do pracy na kolejach wąskotorowych. Oferowano 7 koron za dniówkę maszynisty i 4 za pomocnika.

Kolejne informacje o zatrudnieniu pochodzą z roku 1924, kiedy to pracowało łącznie 31 osób. Kierownikiem kolei Zwierzyniec – Biłgoraj był wówczas Apolinary Gorczyński (wiadomo, że był nim także w roku 1923), zawiadowcą parowozowni w Zwierzyńcu był Szczepan Gacek, zaś stacjami zarządzali: Stanisław Olejko, Antoni Butanowicz, Piotr Ludorowski i Stanisław Liberadzki. Zatrudniano wówczas 5 maszynistów (J. Łaskawiec, E. Fajfer, J. Momot, A. Borowiec i W. Krawczyk), 3 nadkonduktorów (J. Ferenc, W. Swacha, J. Gontacz) i 3 konduktorów (A. Decyk, F. Kołubek, W. Michniewski) oraz 4 hamulcowych. Pozostałe etaty były pomocnicze i biurowe; co ciekawe, nie wspomniano o żadnym etacie toromistrzów. Zatrudniano byłych pracowników kolejki ordynackiej – m.in. Józefa Momota.

W 1930 r. zatrudniano łącznie 35 osób: p.o. zarządzającego był Wincenty Węgielewski, zawiadowcą st. Zwierzyniec I klasy był Jan Karwat, zawiadowcą parowozowni II klasy był Władysław Witkowski, zawiadowcą st. III klasy Terespol Wąski – Antoni Butanowicz, zawiadowcą st. II klasy Biłgoraj – Stanisław Madejski, pracowało też 6 konduktorów, zaś maszynistów i palaczy było 8 (w tym 4 etatowych).

Na przełomie lat 1933/1934 zatrudniano jedynie 15 osób plus 2 wakaty. Być może był to wynik kryzysu gospodarczego. Naczelnikiem (zarządzającym) był Michał Gieysztor, jego zastępcą – Stanisław Bieńkowicz; służba drogowa (Odcinek Drogowy II klasy Zwierzyniec) miała 1 etat toromistrza. W służbie ruchu pracowali: na stacji II klasy Biłgoraj – zawiadowca Stanisław Madejski, na stacji III kl. Terespol Wąski – wakat na etacie zawiadowcy; na stacji I klasy Zwierzyniec Wąski – p.o. zawiadowcy – Piotr Budniewski (kontroler). Był też 1 etat konduktorski, 1 etat pracownika stacyjnego i 2 etaty hamulcowych. Służba mechaniczna zatrudniała: w parowozowni II klasy Zwierzyniec Wąski – wakat na etacie zawiadowcy parowozowni, 2 maszynistów i pomocników, palaczy parowozowych – 1 etat stały, rzemieślników – 2 etaty i jeden straż-

J. Strobel – oparty o wagon pocztowo-bagażowy – zawiadowca st. Biłgoraj oraz inni pracownicy na stacji w Biłgoraju. Ze zbiorów T.Kamińskiej.

Pasażerowie oczekiwali na pociągi wąskotorowe na ławkach przy budynku stacji Zwierzyniec Wąsk na Białym Słupie. Przyjacielska rozmowa uchwycona na zdjęciu w latach 60. odbywa się pod plakatami propagandowymi Frontu Jedności Narodu i Planu 5 letniego. Po prawej stronie widoczny namalowany rozkład jazdy pociągów normalno- i wąskotorowych. Autor: Z. Koryszko

nik. W czasie okupacji zawiadowcą stacji w Biłgoraju był Stefan Łuszczacz.

W 1945 r. zatrudnienie wynosiło już 100 osób i stopniowo wzrastało do czasu likwidacji, kiedy to na linii pracowało 123 pracowników. Z relacji byłych pracowników znamy niektóre nazwiska pracowników z lat 50.: Antoni Sykuła był naczelnikiem parowozowni, Jerzy Matwies dyżurnym ruchu w Zwierzyńcu, maszynistami byli: Aleksander Ladowski, Antoni Borowiec, Tadeusz Bednarz, Edmund Mazur z Rudki oraz Czesław Mazur z Obroczy, konduktorami byli: Bolesław Giżak, Leon Gontaż, Jan Paczos, Jan Matwies, Jan Pieczykolan, Tadeusz Rapa, Tadeusz Gończarowski. Ponadto jako hamulcowi zatrudnieni byli: Witold Bzdeń i Stanisław Droździel, jako rewidenci: Zenon Koryszko, p.Saletra i przejściowo Bronisław Misztal. Magazynierami byli wówczas: Jan Trojanowski, Józefa Decyk, Michalina Koryszko, Witold Orzechowski i Józef Sirko. Sprawami biurowymi zajmowali się Regina Nikołajenko i Czesława Łopuch. Od roku 1959 kasę biletową w Tereszpolu prowadziła Czesława Wojtowicz. Zdarzało się że na kolejce pracowało kilka pokoleń jednej rodziny. Przykładem są np. Michał Muciek (toromistrz a następnie dyżurny ruchu) oraz Stanisław Muciek (dyżurny ruchu)

W latach 60. w Zwierzyńcu pracowali m.in.: Jan Żdanowski, Antoni Sykuła, Jan Kusz, Waldemar Panasiuk, Henryk Góra. Zawiadowcami w Biłgoraju byli: Stanisław Olejko, p. Machowski, Stanisław Madejski, Jan Strobel (do 01.03.1967) i Zenon Trojanowski. Najdłużej urząd ten sprawował Jan Strobel i zapisał się na trwale w pamięci mieszkańców. Ostatnich pracowników kolejki przeniesiono do innych jednostek PKP dopiero 01.06.1972.

Widok stacji w Zwierzyńcu autorstwa Z.Koryszki.

Stosowane skróty

> – przesłany na linię
++ – skasowany (likwidacja środka trwałego)
AP – Archiwum Państwowe
AOZ – Archiwum Ordynacji Zamojskiej
Bohum – huta Bohumin, Czechy
Chrz – Fablok, Chrzanów
c.k. – cesarsko królewski, dot. Austro-Węgier lat I wojny światowej
DKP – Dyrekcja Kolei Państwowych (PKP przed II wojną)
DOKP – Dyrekcja Okręgowa Kolei Państwowych (PKP po II wojnie)
Hano – Hanomag Hannoversche Maschinenbau AG, Hannover
Heilbr – Maschinenbau - Gesellschaft Heilbronn
Hen – Henschel, Kassel
HF – Heeresfeldbahn (wojskowa kolej polowa, skrót używany także dla określenia lokomotyw wojskowych, tzw. Brigadeloks)
KAW – Kriegsarchiv Wien, Archiwum Wojenne, Wiedeń
KrMu – Krauss & Comp, Monachium, Niemcy
KrLi – Krauss Linz, Austria
KrólHuta – Królewska Huta, Koenigshutte, w czasie II wojny OSMAG, obecnie Konstal, Chorzów
LFB1 – Lokomotivfeldbahn Nr 1, jednostka wojsk kolejowych c.k. armii
MGG – Militär-General-Gouverment, wojskowe generał-gubernatorstwo, austriacka administracja w czasie I wojny, Lublin
O&K – Orenstein & Koppel, Drewitz, Berlin
OSMAG – Ost Maschinenbau GmbH, Koenigshutte 1939-1944, późniejszy Konstal
Ostrowiec – Zakłady Ostrowieckie w Ostrowcu Świętokrzyskim
OZ – Ordynacja Zamojska
PKP – Polskie Koleje Państwowe
PKP A – oznaczenie dotyczące PKP przed II wojną światową
Sanok – Polskie Fabryki Maszyn i Wagonów – L. Zieleniewski
Steinfurt – Waggonfabrik L. Steinfurt AG Königsberg
Świdnica – ZNTK Świdnica, obecnie „Wagony Świdnica" S.A.
WSABP – Warszawska Spółka Akcyjna Budowy Parowozów
ZKD – Zarząd Kolei Dojazdowych PKP

Źródła

[1] *Biłgorajska ciuchcia.* Biłgorajski Dwutygonik Samorządowy „Tanew". 8/1995.

[2] Lista pierwszych przydziałów parowozów k.u.k. HB oraz listy fabryczne Orenstein & Koppel, Jung, Hohenzollern, Hanomag, Krauss. Ze zbiorów T. Suchorolskiego.

[3] *Gospodarka parowozowa i węglowa w ZKD PKP Chełm 1960-61.* Maszynopis ze zbiorów P. Staszewskiego

[4] Carlheinz Becker *Kompedium Nr.1 Schmalspurbahnen in Südost-Polen.*

[5] Paszport Produkcyjno-Techniczny Parowozowni Kolei Dojazdowych PKP Zwierzyniec za lata 1957-1968. Zbiory Z. Tucholski.

[6] *Rocznik komunikacyjny 1933-1934.*

[7] *Książka Pamiątkowa o wydarciu Sieci Kolejowej Radomskiej z rąk najeźdźców austryjackich przez Kolejarzy Polaków* 31.11.1919. Wydana w pierwszą rocznicę utworzenia dyrekcji radomskiej. Wspomnienia Franciszka Stelągowskiego.

[8] *Zbiór drożni na terytorium Rzeczypospolitej Polskiej część druga – środkowy wschód.* Ministerstwo Spraw Wojskowych, Warszawa 1925.

[9] *Zbiór drożni na terytorium Rzeczypospolitej Polskiej część pierwsza – południowy wschód.* Ministerstwo Spraw Wojskowych, Warszawa 1927.

[10] *Dziennik Zarządzeń DKP Radom z 1924 r.*

[11] Luźne dokumenty DOKP Lublin z 1946. Oprac. Wiesław Wojasiewicz.

[12] Jerzy Markiewicz, Ryszard Szczygieł, Wiesław Śladkowski. *Dzieje Biłgoraja.* Wyd. Lubelskie 1985.

[13] Halina Matławska. *Zwierzyniec.* Zwierzyniec 1991.

[14] *Rocznik kolejowy.* Wyd. Min. Komunik. 1930.

[15] Carlheinz Becker, Helmut Pochadt. *Wojskowa kolej polowa Bełżec – Trawniki.* Świat Kolei 11/2002.

[16] Feliks Oppman. *W sprawie kolejek wązkotorowych lekkiego typu, t.zw. polowych, w Królestwie Polskim.* Przegląd Techniczny. 21 i 22. 29.05.1917.

[17] *Album ramp DOKP Radom* 01.04.1934, AP Radom.

[18] *Wykorzystanie zdolności przewozowej kolei wąskotorowych.* Pismo Biura Planowania DOKP Lublin do Departamentu Planowania Ministerstwa Kolei z dnia 16.05.1953, AAN Warszawa.

[19] Uchwała Ministerstwa Kolei z dnia 18.01.1952 dot. wykonania planu 1951, AAN Warszawa.

[20] Pismo DOKP Lublin do WKPG w sprawie planowanego przejęcia linii do Lipy. 21.06.1956. Zbiory CZKD, AAN.

[21] *Projekt analizy technologiczno-ruchowej przebudowy linii wąskotorowej Zwierzyniec–Biłgoraj na linię normalnotorową.* Biuro Projektów Kolejowych Lublin, 20.10.1969; Powiatowy Zarząd Dróg Lokalnych, AP Zamość.

[22] Mapa schematyczna linii wąskotorowych (do zmian zaszłych na liniach wąskotorowych w 1936). Biuro Wojskowe Min. Komunikacji, zbiory AAN Warszawa.

[23] Plany linii ze zbiorów Wydziału Geodezji DOKP PKP Lublin.

[24] Projekt instalacji energetycznej na st. Zwierzyniec Wąskotorowy, Biuro Projektów Kolejowych Lublin 1966. Ze zbiorów dr. L. Byliny.

[25] Luźny zbiór dokumentów dot. Planu 5-letniego Zarządu KD PKP Chełm z lat 1951-55, AAN Warszawa.

[26] M. Kucharski, Z. Tucholski. *Kolej leśna w Lipie.* Rękopis.

[27] Zarządzenie Ministra Komunikacji z 30.02.1935 o ilości, siedzibach, podziale na klasy i granicach zarządów kolei wąskotorowych. Dziennik Urzędowy Ministerstwa Komunikacji Nr 15, 30.04.1935.

[28] Isaac Bashevis Singer. *Urząd mojego ojca.* Warszawa 1992.

[29] Zygmunt Klukowski. *Dziennik z lat okupacji Zamojszczyzny.* Lublin 1959.

[30] *Wydawnictwo Materiałów do dziejów Zamojszczyzny w latach wojny 1939-1944.* Red. Z. Klukowski. Zamość 1947, t. IV.

[31] Telegram służbowy DOKP Lublin PKP z dnia 28.08.1965. Ze zbiorów B. Pokropińskiego.

[32] Kartogram służbowy ZKD PKP Chełm z dnia 23.08.1965. Ze zbiorów B. Pokropińskiego.

[33] Księga inwentarzowa środków trwałych ZKD PKP Chełm założona 30.05.1964, Wydział Zamiejscowy w Chełmie Dyrekcji Kolei Dojazdowych PKP.

[34] Wywiady z byłymi pracownikami kolejki: Władysław Nizio (Szozdy).

[35] Notatka ze zbiorów B. Pokropińskiego.

[36] Pismo Plenipotenta OZ do Dyrekcji PKP w Radomiu w sprawie wykupu gruntów 11.07.1924, AOZ AP Lublin.

[37] Zbiór akt Kriegsarchiv Wien. Oprac. Dieter Stanfel.

[38] *Żołnierze stalowych szlaków.* Wyd. MON. str. 445/446.

[39] Amtsblatt kuk Kreiskommando Biłgoraj, Zwierzyniec AP Lublin.

[40] Kreiskommando Bilgoraj Monatsbericht XI 1916 (Sprawozdanie sytuacyjne), AP Lublin.
[41] Akta Kolejki Podjazdowej. (w) Archiwum OZ, sygn. 9833 -9840, 10080; 10095-6; 10103 AP Lublin.
[42] Paszportyzacja nawierzchni linii 1960-65 i 1966-70. Zbiory P. Staszewskiego.
[43] Dokumenty likwidacji linii z 14.05.71 i 31.05.71. Zbiory P. Staszewskiego
[44] Paszport Produkcyjno-Techniczny Parowozowni Kolei Dojazdowych PKP Zwierzyniec za lata 1952-55, AAN Warszawa.
[45] Gazeta Zamojska nr 11, 19 maja 1929 r., Biblioteka Narodowa.
[46] Gazeta Zamojska nr 3, 14 kwietnia 1929 r., Biblioteka Narodowa.
[47] Plan przenumerowania lokomotyw parowych byłych polskich kolei państwowych (wąski tor), Deutsche Reichsbahn Zentralamt Berlin 25.02.1942 (maszynopis ze zbiorów T. Suchorolskiego).
[48] *Oznakowanie parowozów wąskotorowych na podstawie przepisów o znakowaniu z dn. 17.03.1947, zatwierdzona 23.03.1948* z późniejszymi naniesieniami (maszynopis ze zbiorów T. Suchorolskiego).
[49] B. Pokropiński. *Muzealne parowozy wąskotorowe w Polsce*. Żnin 2000.
[50] G. Krause, G. Krall, M. Gundling, P. Ziegenfuss. *Die Brigadelokomotiven der Deutschen Heeresfeldbahnen im Ersten Weltkrieg*. Buschhoven 1994.
[51] Rejestr pomiarowy gruntów zajętych pod tor kolejowy na szlaku Zwierzyniec – Biłgoraj w dobrach OZ – geometra A. Bronowicz – AP Lublin, AOZ 16179.
[52] Pismo kuk Kreiskommando Zamość do OZ, AP Lublin AOZ 9836.
[53] Dokumentacja tartaku i elektrowni w Zwierzyńcu, AP Lublin, AOZ 21272.
[54] Zarząd Powiatowy Chełmski (Cholmskoe Uezdnoe Upravlenie), AP Lublin, zespół 129.
[55] Dziennik Rozporządzeń Dyrekcji Kolei Państwowych w Radomiu, Nr 13 Grudzień 1924.
[56] B. Pokropiński. *Parowozy wąskotorowe Budicha*. Świat Kolei 1/2000.
[57] Parowozownia Bogatynia PKP – „Załącznik do pisma nr CZKD 4a/1/25/57".
[58] Sprawozdania o pracy taboru wąskotorowego za rok 1937, Ministerstwo Komunikacji Departament Ruchu Kolejowego Wydział Towarowy; AAN Warszawa.
[59] Wywiady z pracownikami Lasów Państwowych: Henryk Momot.
[60] Zarządzenie Ministra Komunikacji Nr 382 z dnia 12.11.1955 w sprawie organizacji służby kolei dojazdowych w okręgach kolei państwowych. (w) Biul. M. K. Nr 28 z 1955r., poz. 190.
[61] Urzędowe Rozkłady Jazdy PKP za lata 1922-1972. Zbiory prywatne i Biblioteki Uniwersytetu Warszawskiego.
[62] Kolej wąskotorowa Armii Rosyjskiej Chełm – Biłgoraj – opracowanie specjalne materiałów Państowego Rosyjskiego Archiwum Wojenno-Historycznego (Moskwa) – zespół 5882 (sygn. 466, 18-20, 103-108, 80, 6-7, 16, 489, 1-14).
[63] Keith Chester. *The 750 mm Gauge Steam Locomotives of the Polevye Zheleznye Dorogi, the Field Railways of the Imperial Russian Army*. Rękopis.
[64] Wykaz stacyj i ładowni kolejowych [...] Ważny od 01.05.1926. Zbiory W. Dembiński.
[65] Wykaz stacyj i odległości taryfowych. Część III taryfy towarowej. Zeszyt A. Obowiązuje od 01.09.1929. Zbiory W. Dembiński.
[66] Wykaz stacyj i odległości taryfowych dla ruchu towarowego. Część III taryfy towarowej. Obowiązuje od dnia 15.11.1930. Zbiory W. Dembiński.
[67] Spis stacyj, ładowni i przystanków kolejowych. Obowiązuje od 01.05.1933. Zbiory W. Dembiński.
[68] Spis stacyj i przystanków kolejowych. Obowiązuje od dnia 15.02.1938. Bydgoszcz. Zbiory W. Dembiński.
[69] Spis stacyj polskich kolei państwowych oraz kolei prywatnych będących pod zarządem państwowym. Ważny od 01.01.1921. Warszawa 1920. Zbiory W. Dembiński.
[70] Uzupełnienie II do spisu stacyj, przystanków i ładowni [...] ważnego od 01.04.1923. Obowiązuje od 15.09.1924. Zbiory W. Dembiński.
[71] R. Fach, G. Krall. *Heeresfeldbahnen der Keiserzeit*. Verlag Kenning 2002.
[72] Bogdan Pokropiński. *Polskie parowozy eksportowe*. Warszawa 1993.
[73] Rząd Gubernialny Lubelski Wydział Budowlany II 1907:5, AP Lublin.
[74] Akta Spółki Drzewnej w Archiwum Ordynacji Zamojskiej, AP Lublin.
[75] Powiatowa Rada Narodowa Biłgoraj, AP Lublin Oddział Kraśnik, sygn. 150.
[76] Dziennik Urzędowy Ministerstwa Poczt i Telegrafów 1933, 1947. Ze zbiorów Jana Szpondera.
[78] Odpowiedzi OZ na kwestyonariusz Biura Pracy Społecznej, 1913, AOZ 9835, AP Lublin.
[79] Zespół akt generał-gubernatorstwa w Lublinie (MGGL), AGAD Warszawa.
[80] Dokumenty Lokomotivfeldbahn Nr 1, KA Wiedeń.

Zestawienie wagonów towarowych

Tabela 22. Zestawienie wagonów na tor szerokości 600 mm, opracowane w oparciu o „Księgę inwentarzową środków trwałych ZKD Chełm". Najstarsze dane pochodzą z inwentaryzacji przeprowadzonej w dniu 01.01.1963. Zachowano oryginalną kolejność zapisów. Niektórych producentów nie udało się niestety zidentyfikować.

nr	opis	osi	producent	rok budowy	data rozchodu śr.trw.	wysłano do ZKD
5077	kryty	2	-	1910	+13.02.63	-
5080	kryty	2	-	1905	+13.02.63	-
5078	kryty	2	-	1919	+13.02.63	-
5542	kryty	4	-	1924	+13.02.63	-
5502	kryty	4	-	1924	+13.02.63	-
5586	kryty	4	-	1924	+13.02.63	-
5587	kryty	4	-	1924	+13.02.63	-
5513	kryty	4	-	1918	+24.05.64	-
5527	kryty	4	Bochum	1942	10.08.64	Warszawa
5533	kryty	4	Bochum	1942	10.08.64	Warszawa
5534	kryty	4	Bochum	1942	10.08.64	Poznań
5541	kryty	4	Bochum	1942	10.08.64	Warszawa
5549	kryty	4	Bochum	1942	10.08.64	Warszawa
5566	kryty	4	Bochum	1942	10.08.64	Poznań
5570	kryty	4	Bochum	1942	10.08.64	Warszawa
5575	kryty	4	Bochum	1942	10.08.64	Warszawa
5576	kryty	4	Bochum	1942	10.08.64	Poznań
6503	kryty	4	Sanok	1927	10.08.64	Poznań
6504	kryty	4	Sanok	1927	10.08.64	Poznań
6506	kryty	4	Sanok	1927	10.08.64	Gdańsk
6509	kryty	4	Sanok	1927	10.08.64	Poznań
6510	kryty	4	Sanok	1927	+31.08.67	-
6512	kryty	4	Sanok	1927	10.08.64	Poznań
6518	kryty	4	Sanok	1927	+31.08.67	-
6519	kryty	4	Sanok	1927	10.08.64	Warszawa
6522	kryty	4	Sanok	1927	10.08.64	Gdańsk
6523	kryty	4	Sanok	1927	10.08.64	Gdańsk
6526	kryty	4	Sanok	1927	10.08.64	Warszawa
6527	kryty	4	Sanok	1927	10.08.64	Poznań
6528	kryty	4	Sanok	1927	10.08.64	Gdańsk
6530	kryty	4	Sanok	1927	10.08.64	Poznań
6533	kryty	4	Sanok	1927	10.08.64	Warszawa
6536	kryty	4	Sanok	1927	10.08.64	Gdańsk
6547	kryty	4	Król.Huta	1927	10.08.64	Gdańsk
6550	kryty	4	Sanok	1927	10.08.64	Poznań
6553	kryty	4	Sanok	1927	10.08.64	Warszawa
6555	kryty	4	Król.Huta	1927	17.01.66	Warszawa
6556	kryty	4	Sanok	1927	10.08.64	Warszawa
6558	kryty	4	Sanok	1927	10.08.64	Gdańsk
6562	kryty	4	Sanok	1927	10.08.64	Gdańsk

6564	kryty	4	Sanok	1927	10.08.64	Warszawa
6578	kryty	4	Sanok	1927	10.08.64	Gdańsk
6580	kryty	4	Sanok	1927	10.08.64	Gdańsk
6582	kryty	4	Sanok	1927	10.08.64	Poznań
6586	kryty	4	Sanok	1927	10.08.64	Gdańsk
6596	kryty	4	Sanok	1927	10.08.64	Gdańsk
6600	kryty	4	Sanok	1924	10.08.64	Gdańsk
6602	kryty	4	Sanok	1927	10.08.64	Gdańsk
6603	kryty	4	Sanok	1927	10.08.64	Poznań
6606	kryty	4	Król.Huta	1927	10.08.64	Poznań
6619	kryty	4	Król.Huta	1927	10.08.64	Warszawa
6629	kryty	4	Sanok	1927	10.08.64	Gdańsk
6635	kryty	4	Sanok	1927	10.08.64	Gdańsk
6648	kryty	4	Sanok	1927	+14.05.64	-
6660	kryty	4	Król.Huta	1927	15.02.66	Warszawa
6579	kryty	4	Sanok	1927	+11.63	-
8842	węglarka	4	-	1924	+11.63	-
8418	węglarka	4	-	1924	+08.11.63	-
8965	węglarka	4	-	1927	+08.11.63	-
8321	węglarka	4	-	1927	+11.63	-
8452	węglarka	4	-	1927	+08.11.63	-
9732	węglarka	4	-	1924	+08.11.63	-
8077	węglarka	4	-	1927	+08.11.63	-
9833	węglarka	4	-	1927	+08.11.63	-
8890	węglarka	4	-	1927	+11.63	-
9182	węglarka	4	-	1927	+08.11.63	-
8034	węglarka	4	-	1927	+11.63	-
8246	węglarka	4	-	1927	+08.11.63	-
8588	węglarka	4	-	1927	+08.11.63	-
8699	węglarka	4	-	1924	+08.11.63	-
8641	węglarka	4	-	1924	+08.11.63	-
8058	węglarka	4	-	1924	+08.11.63	-
9631	węglarka	4	-	1924	+08.11.63	-
8243	węglarka	4	-	1935	+08.11.63	-
8252	węglarka	4	Bochum	1944	10.08.64	Warszawa
8257	węglarka	4	Bochum	1942	10.08.64	Warszawa
8277	węglarka	4	Bochum	1935	10.08.64	Warszawa
8302	węglarka	4	Bochum	1942	10.08.64	Warszawa
8323	węglarka	4	.Bochum	1927	+14.05.64	-
8431	węglarka	4	Bochum	1927	+14.05.64	-
8475	węglarka	4	Bochum	1927	+14.05.64	-
8482	węglarka	4	Bochum	1935	10.08.64	Warszawa
8529	węglarka	4	Ostrowiec	1925	+14.05.64	-
8587	węglarka	4	Ostrowiec	1930	+14.05.64	-
8741	węglarka	4	Ostrowiec	1927	+14.05.64	-
8882	węglarka	4	Ostrowiec	1935	10.08.64	Warszawa
8984	węglarka	4	Ostrowiec	1930	+14.05.64	-
9002	węglarka	4	Ostrowiec	1942	10.08.64	Warszawa

9017	węglarka	4	Ostrowiec	1927	10.08.64	Warszawa
9068	węglarka	4	Ostrowiec	1924	+14.05.64	-
9083	węglarka	4	Ostrowiec	1927	+14.05.64	-
9785	węglarka	4	Ostrowiec	1924	+14.05.64	-
11007	węglarka	4	Król.Huta	1927	08.11.64	Warszawa
11008	węglarka	4	Huta Laura	1942	10.08.64	Gdańsk
6636	kryty	4	-	1927	15.02.66	Warszawa
11018	węglarka	4	Król.Huta	1927	10.08.64	Gdańsk
11022	węglarka	4	Król.Huta	1927	10.08.64	Warszawa
11027	węglarka	4	Król.Huta	1942	10.08.64	Gdańsk
11029	węglarka	4	Król.Huta	1942	10.08.64	Gdańsk
11033	węglarka	4	Król.Huta	1942	08.11.64	Warszawa
11037	węglarka	4	Król.Huta	1942	10.08.64	Gdańsk
11043	węglarka	4	Król.Huta	1927	10.08.64	Gdańsk
11105	węglarka	4	Os.Masch Ko-enigsb	1942	10.08.64	Gdańsk
11107	węglarka	4	Król.Huta	1927	10.08.64	Poznań
11110	węglarka	4		1942	10.08.64	Poznań
11067	węglarka	4	Król.Huta	1942	10.08.64	Poznań
11077	węglarka	4	Król.Huta	1927	10.08.64	Poznań
11080	węglarka	4	Król.Huta	1927	10.08.64	Gdańsk
11100	węglarka	4	Król.Huta	1942	10.08.64	Gdańsk
11112	węglarka	4	Król.Huta	1942	10.08.64	Warszawa
11115	węglarka	4	Król.Huta	1942	10.08.64	Warszawa
11120	węglarka	4	Król.Huta	1927	10.08.64	Gdańsk
11131	węglarka	4	Król.Huta	1927	10.08.64	Warszawa
11141	węglarka	4	Król.Huta	1927	08.11.64	Warszawa
11154	węglarka	4	Król.Huta	1927	10.08.64	Gdańsk
11158	węglarka	4	Król.Huta	1927	10.08.64	Warszawa
11159	węglarka	4	Król.Huta	1927	10.08.64	Gdańsk
11162	węglarka	4	Król.Huta	1927	10.08.64	Gdańsk
11163	węglarka	4	Król.Huta	1927	10.08.64	Poznań
11166	węglarka	4	Król.Huta	1927	10.08.64	Gdańsk
11170	węglarka	4	Król.Huta	1927	10.08.64	Gdańsk
11173	węglarka	4	Król.Huta	1942	10.08.64	Gdańsk
11180	węglarka	4	Król.Huta	1927	10.08.64	Poznań
11181	węglarka	4	Król.Huta	1927	10.08.64	Poznań
11214	węglarka	4	Król.Huta	1927	08.11.64	Gdańsk
11252	węglarka	4	Król.Huta	1927	10.08.64	Gdańsk
11260	węglarka	4	Król.Huta	1927	10.08.64	Warszawa
6630	kryty?	4	Król.Huta	1927	1966	Warszawa
11262	węglarka	4	Król.Huta	1927	10.08.64	Gdańsk
11263	węglarka	4	Król.Huta	1927	10.08.64	Poznań
11264	węglarka	4	Król.Huta	1927	10.08.64	Gdańsk
11266	węglarka	4	Król.Huta	1927	10.08.64	Poznań
11267	węglarka	4	Król.Huta	1927	10.08.64	Warszawa
11275	węglarka	4	Osmag	1943	10.08.64	Gdańsk
11378	węglarka	4	Król.Huta	1927	10.08.64	Gdańsk

8255	węglarka	4	Król.Huta	1935	+11.63	-
8542	węglarka	4	Bohum	1942	+11.63	-
9286	węglarka	4	-	1920	+11.63	-
8282	węglarka	4	-	1940	10.08.64	Warszawa
12212	platforma	4	-	1948	+14.05.64	-
12213	platforma	4	-	1927	10.08.64	Warszawa
12214	platforma	4	-	1927	+14.05.64	-
12215	platforma	4	-	1927	10.08.64	Warszawa
12219	platforma	4	-	1927	10.08.64	Warszawa
12220	platforma	4	-	1950	10.08.64	Warszawa
12221	platforma	4	-	1927	08.11.64	Warszawa
12222	platforma	4	-	1927	+14.05.64	-
12223	platforma	4	-	1927	10.08.64	Warszawa
12224	platforma	4	-	1927	08.11.64	Warszawa
12227	platforma	4	-	1927	08.11.64	Warszawa
12230	platforma	4	-	1927	17.01.66	Warszawa
12233	platforma	4	-	1927	+14.01.64	-
12234	platforma	4	-	1927	10.08.64	Warszawa
12225	platforma	4	-	1927	+11.63	-
12235	platforma	4	-	1927	+11.63	-
12278	platforma	4	-	1927	+11.63	-
13620	wózek leśny	2	Osmag	1944	08.11.64	Warszawa
27002	platforma	4	-	1930	+08.07.65	Werbkowice
27673	platforma	4	-	1930	+08.07.65	Werbkowice
13641	wózek leśny	2	Osmag	1944	10.08.64	Warszawa
13642	wózek leśny	2	Osmag	1944	10.08.64	Warszawa
13643	wózek leśny	2	Osmag	1930	+14.05.64	-
13644	wózek leśny	2	Osmag	1930	+14.05.64	-
13645	wózek leśny	2	Osmag	1930	+14.05.64	-
13647	wózek leśny	2	Osmag	1930	+14.05.64	-
13648	wózek leśny	2	Osmag	1930	10.08.64	Warszawa
13649	wózek leśny	2	Osmag	1930	10.08.64	Warszawa
13650	wózek leśny	2	Werk Norberg		10.08.64	Warszawa
13651	wózek leśny	2	Werk Norberg	1930	10.08.64	Warszawa
13652	wózek leśny	2	Werk Norberg	1930	10.08.64	Warszawa
13676	wózek leśny	2	-	1905	+14.05.64	-
13689	wózek leśny	2	Osmag	1944	08.11.64	Warszawa
13691	wózek leśny	2	Osmag	1941	10.08.64	Warszawa
13699	wózek leśny	2	Osmag	1944	10.08.64	Warszawa
13718	wózek leśny	2	-	1905	+14.05.64	-
13719	wózek leśny	2	-	1905	+14.05.64	-
13785	wózek leśny	2	-	1910	+14.05.64	-
13786	wózek leśny	2	-	1910	+14.05.64	-
13801	wózek leśny	2	Görlitz	1900	+14.05.64	-
13802	wózek leśny	2	Görlitz	1900	+14.05.64	-
13853	wózek leśny	2	-	1930	10.08.64	Warszawa
13854	wózek leśny	2	Werk Norberg	1913	10.08.64	Warszawa
27693	platforma	4	-	1905	+08.07.65	Werbkowice

13902	wózek leśny	2	-	1930	10.08.64	Warszawa
13879	wózek leśny	2	-	1910	+11.63	-
13880	wózek leśny	2	-	1910	+11.63	Warszawa
13701	wózek leśny	2	-	1925	+31.08.67	-
13629	wózek leśny	2	-	1925	+31.08.67	-
77026	platforma	4	-	1945	+14.05.64	-
9019	węglarka	4	-	1942	10.08.64	Warszawa

Tabela 23. Zestawienie wagonów na tor szerokości 750 mm, zgodnie z listą środków trwałych ZKD Chełm.

nr	seria	producent	rok prod	przybycie	skąd	odejście	dokąd
34118	Wddx	Konstal	1950	06.10.64	ZKD Poznań	1966	Starachowice
26222	Wdxh	Ostrowiec	1930	06.10.64	ZKD Poznań	1966	Karczmiska
34088	Wddx	Konstal	1950	06.10.64	ZKD Poznań	1966	Karczmiska
34110	Wddx	Konstal	1950	06.10.64	ZKD Poznań	23.11.65	Warszawa
34111	Wddx	Konstal	1950	06.10.64	ZKD Poznań	1966	Karczmiska
34112	Wddx	Konstal	1950	06.10.64	ZKD Poznań	11.07.66	Karczmiska
34119	Wddx	Konstal	1950	06.10.64	ZKD Poznań	23.11.65	Warszawa
34281	Wddxh	Konstal	1950	06.10.64	ZKD Poznań	1966	Karczmiska
34282	Wddxh	Konstal	1950	06.10.64	ZKD Poznań	1966	Karczmiska
34288	Wddxh	Konstal	1950	06.10.64	ZKD Poznań	23.11.65	Warszawa
11011	Wdx	Król.Huta	1942	20.03.64	ZKD Gdańsk	08.11.64	Warszawa
11032	Wdx	Król.Huta	1942	20.03.64	ZKD Gdańsk	08.11.64	Gdańsk
11050	Wdx	Król.Huta	1942	20.03.64	ZKD Gdańsk	08.11.64	Gdańsk
11137	Wdx	Król.Huta	1942	20.03.64	ZKD Gdańsk	08.11.64	Gdańsk
11143	Wdxh	Król.Huta	1938	20.03.64	ZKD Gdańsk	08.11.64	Gdańsk
11171	Wdx	Król.Huta	1942	20.03.64	ZKD Gdańsk	08.11.64	Warszawa
11203	Wdxh	Król.Huta	1938	20.03.64	ZKD Gdańsk	08.11.64	Poznań
11259	Wdxh	Król.Huta	1938	20.03.64	ZKD Gdańsk	08.11.64	Gdańsk
11282	Wdx	Król.Huta	1943	20.03.64	ZKD Gdańsk	08.11.64	Gdańsk
11295	Wdxh	prod.wł.	1938	20.03.64	ZKD Gdańsk	08.11.64	Gdańsk
11619	Sl	-	1943	07.04.64	ZKD Warszawa	08.11.64	Warszawa
11621	Sl	-	1943	07.04.64	ZKD Warszawa	08.11.64	Warszawa
11761	Sl	-	1943	07.04.64	ZKD Warszawa	08.11.64	Warszawa
11762	Sl	-	1894	07.04.64	ZKD Warszawa	08.11.64	Warszawa
11892	Sl	-	1920	07.04.64	ZKD Warszawa	08.11.64	Warszawa
11893	Sl	-	1920	07.04.64	ZKD Warszawa	08.11.64	Warszawa
11903	Sl	-	1940	07.04.64	ZKD Warszawa	08.11.64	Warszawa
11904	Sl	-	1940	07.04.64	ZKD Warszawa	08.11.64	Warszawa
13905	Sl	-	1924	07.04.64	ZKD Warszawa	08.11.64	Warszawa
13906	Sl	-	1924	07.04.64	ZKD Warszawa	08.11.64	Warszawa
6666	Kdx	-	1942	07.04.64	ZKD Warszawa	08.11.64	Poznań
6668	Wdxh	-	1942	07.04.64	ZKD Warszawa	08.11.64	Warszawa
11003	Wdxh	-	1943	07.04.64	ZKD Warszawa	08.11.64	Gdańsk
11015	Wdxh	-	1942	07.04.64	ZKD Warszawa	08.11.64	Warszawa
11025	Wdx	-	1942	07.04.64	ZKD Warszawa	08.11.64	Poznań
11035	Wdx	-	1942	07.04.64	ZKD Warszawa	08.11.64	Warszawa
11063	Wdx	-	1942	07.04.64	ZKD Warszawa	08.11.64	Gdańsk

11069	Wdx	-	1942	07.04.64	ZKD Warszawa	08.11.64	Poznań
11070	Wdx	-	1942	07.04.64	ZKD Warszawa	08.11.64	Poznań
11072	Wdx	-	1943	07.04.64	ZKD Warszawa	08.11.64	Warszawa
11102	Wdx	-	1943	07.04.64	ZKD Warszawa	08.11.64	Gdańsk
11151	Wdx	-	1942	07.04.64	ZKD Warszawa	08.11.64	Gdańsk
11172	Wdx	-	1942	07.04.64	ZKD Warszawa	08.11.64	Gdańsk
11119	Wdxh	-	1942	07.04.64	ZKD Warszawa	08.11.64	Warszawa
11179	Wdx	-	1943	07.04.64	ZKD Warszawa	08.11.64	Warszawa
11209	Wdxh	-	1942	07.04.64	ZKD Warszawa	08.11.64	Warszawa
11010	Wdx	-	1942	07.04.64	ZKD Warszawa	08.11.64	Poznań
11061	Wdx	-	1942	07.04.64	ZKD Warszawa	08.11.64	Poznań
11221	Wdx	-	1942	07.04.64	ZKD Warszawa	08.11.64	Gdańsk
8769	Wxh	-	1942	07.04.64	ZKD Warszawa	08.11.64	Warszawa
11112	Wdxh	Konigschaffe	1943	01.12.64	ZKD Warszawa	12.64	Gdańsk
33199	Kddxz	Świdnica	1960	1965	Jędrzejów	1971	Starachowice
21092	Kdx	-	1930	07.01.65	Warszawa	1966	Karczmiska
32127	Kddx	Konstal	1950	15.03.65	Warszawa	1966	Karczmiska
32131	Kdxh	Konstal	1950	07.01.65	Warszawa	1971	Przeworsk
32147	Kdxh	Konstal	1950	07.01.65	Warszawa	1971	Starachowice
32193	Kddx	Konstal	1950	07.01.65	Warszawa	1966	Karczmiska
32210	Kddx	Konstal	1950	15.03.65	Warszawa	1966	Karczmiska
32260	Kddx	Konstal	1950	07.01.65	Warszawa	1966	Karczmiska
32515	Kdxh	Konstal	1950	07.01.65	Warszawa	1966	Karczmiska
32584	Kddx	Konstal	1952	07.01.65	Warszawa	1971	Przeworsk
32653	Kdxh	Konstal	1952	07.01.65	Warszawa	-	Karczmiska
32680	Kdxh	Konstal	1952	07.01.65	Warszawa	1966	Karczmiska
32692	Kdxh	Konstal	1952	07.01.65	Warszawa	1966	Karczmiska
32779	Kddx	Chorzów	1953	07.01.65	Warszawa	09.06.71	Poznań
32857	Kdxh	Chorzów	1953	07.01.65	Warszawa	09.06.71	Poznań
33216	Kddxz	Świdnica	1960	07.01.65	Warszawa	1971	Przeworsk
34155	Wddx	Chorzów	1950	07.01.65	Warszawa	1971	Werbkowice
34913	Wddx	Chorzów	1953	07.01.65	Warszawa	1971	Werbkowice
35337	Wddxh	Chorzów	1955	07.01.65	Warszawa	1966	Starachowice
35343	Wddxh	Chorzów	1955	07.01.65	Warszawa	1971	Werbkowice
35365	Wddxh	Chorzów	1956	07.01.65	Warszawa	1971	Werbkowice
35319	Wddx	Świdnica	1960	07.01.65	Warszawa	23.11.65	Warszawa
36527	Wddxh	Świdnica	1960	07.01.65	Warszawa	1966	Werbkowice
36629	Wddx	Świdnica	1960	07.01.65	Warszawa	1971	Werbkowice
36335	Wddx	Świdnica	1960	07.01.65	Warszawa	1971	Werbkowice
36631	Wddx	Świdnica	1960	07.01.65	Warszawa	1971	Werbkowice
29407	Sl	Ostrowiec	1939	05.12.64	Warszawa	1971	Karczmiska
29408	Slh	Ostrowiec	1939	05.12.64	Warszawa	1971	Karczmiska
29606	Slh	-	1934	05.12.64	Warszawa	1971	Karczmiska
29609	Slh	-	1934	05.12.64	Warszawa	1971	Karczmiska
29621	Sl	-	1937	05.12.64	Warszawa	+31.08.67	-
29622	Sl	-	1937	05.12.64	Warszawa	+31.08.67	-
71454	Tddyyhp	ZNTK Pń	1965	11.08.65	Poznań	1971	Jędrzejów
71455	Tddyyhp	ZNTK Pń	1965	11.08.65	Poznań	1971	Jędrzejów

71456	Tddyyhp	ZNTK Pń	1965	11.08.65	Poznań	1971	Jędrzejów
71457	Tddyyhp	ZNTK Pń	1965	11.08.65	Poznań	1971	Karczmiska
71458	Tddyyhp	ZNTK Pń	1965	11.08.65	Poznań	1971	Jędrzejów
71459	Tddyyhp	ZNTK Pń	1965	11.08.65	Poznań	1971	Jędrzejów
71460	Tddyyhp	ZNTK Pń	1965	11.08.65	Poznań	1971	Jędrzejów
71461	Tddyyhp	ZNTK Pń	1965	11.08.65	Poznań	1971	Jędrzejów
71462	Tddyyhp	ZNTK Pń	1965	11.08.65	Poznań	1971	Werbkowice
71463	Tddyyhp	ZNTK Pń	1965	11.08.65	Poznań	1971	Jędrzejów
71464	Tddyyhp	ZNTK Pń	1965	11.08.65	Poznań	1971	Karczmiska
6535	Kdx	Sanok	1927	22.06.65		+31.08.67	
71465	Tddyyhp	ZNTK Pń	1965	20.12.65	Poznań	1971	Werbkowice
71466	Tddyyhp	ZNTK Pń	1965	20.12.65	Poznań	1971	Jędrzejów
71467	Tddyyhp	ZNTK Pń	1965	20.12.65	Poznań	1971	Karczmiska
71468	Tddyyhp	ZNTK Pń	1965	20.12.65	Poznań	1971	Jędrzejów
71469	Tddyyhp	ZNTK Pń	1965	20.12.65	Poznań	1971	Karczmiska
71470	Tddyyhp	ZNTK Pń	1965	20.12.65	Poznań	1971	Karczmiska
71413	Tddyyhp	ZNTK Pń	1963	02.05.66	Poznań	1971	Karczmiska
71414	Tddyyhp	ZNTK Pń	1963	02.05.66	Poznań	1971	Jędrzejów
71415	Tddyyhp	ZNTK Pń	1964	02.05.66	Poznań	1971	Jędrzejów
37104	Pddxh	Świdnica	1960	15.05.67	Jędrzejów	1971	Werbkowice
71491	Tddyyhp	ZNTK Pń	1966	03.02.67	ZKD Pń	1971	Jędrzejów
71492	Tddyyhp	ZNTK Pń	1966	03.02.67	ZKD Pń	1971	Karczmiska
71502	Tddyyhp	ZNTK Pń	1967	21.06.67	ZKD Pń	1971	Jędrzejów
71504	Tddyyhp	ZNTK Pń	1967	21.06.67	ZKD Pń	1971	Karczmiska
71583	Tddyyhp	ZNTK Pń	1969	10.12.69	ZKD Pń	1971	Karczmiska
71584	Tddyyhp	ZNTK Pń	1969	10.12.69	ZKD Pń	1971	Karczmiska
71585	Tddyyhp	ZNTK Pń	1969	10.12.69	ZKD Pń	1971	Karczmiska
71579	Tddyyhp	ZNTK Pń	1969	09.12.69	ZKD Pń	1971	Karczmiska
71580	Tddyyhp	ZNTK Pń	1969	09.12.69	ZKD Pń	1971	Karczmiska
71610	Tddyyhp	ZNTK Pń	1971	27.03.71	ZKD Pń	21.06.71	ZKD Warszawa
71611	Tddyyhp	ZNTK Pń	1971	27.03.71	ZKD Pń	21.06.71	ZKD Warszawa
71612	Tddyyhp	ZNTK Pń	1971	27.03.71	ZKD Pń	21.06.71	ZKD Warszawa
32606	Kddx	Chorzów	1952	1969	Karczmiska	1971	Starachowice
32659	Kdxh	Chorzów	1952	1969	Karczmiska	09.06.71	ZKD Poznań
33159	Kddxhz	Świdnica	1960	1965	Karczmiska	1971	Starachowice
33237	Kddxz	Świdnica	1960	1965	Karczmiska	1971	Starachowice
33082	Kddx	Świdnica	1959	1965	Karczmiska	1966	Karczmiska
21200	Kdxh	Świdnica	1929	1969	Karczmiska	1970	Werbkowice
33080	Kddx	Świdnica	1960	1965	Jędrzejów	-	Karczmiska
32152	Kddx/S	Chorzów	1950	przeb. na pług 06.02.64	Jędrzejów	1971	Karczmiska; 1979 Jędrzejów; +30.11.79
33191	Kddxz	Świdnica	1961	1965	Jędrzejów	1971	Przeworsk; +29.05.89
33193	Kddxz	Świdnica	1961	1965	Jędrzejów	1971	Przeworsk; +12.05.92
33005	Kddxh	Świdnica	1960	1965	Jędrzejów		Karczmiska

33010	Kddxh	Świdnica	1960	1965	Jędrzejów	1966	Karczmiska; przeb.na ratunkowy S5209-3 w 1983
33011	Kddxh	Świdnica	1960	1965	Jędrzejów	1966	Karczmiska
32744	Kddx	Chorzów	1953	1969	Karczmiska	1971	Przeworsk
32601	Kddx	Chorzów	1952	1965	Werbkowice	1966	Karczmiska
32120	Kddxh	Chorzów	1950	06.11.65	Werbkowice	1971	Przeworsk
32177	Kddxh	Chorzów	1950	06.11.65	Werbkowice	1965	Karczmiska
32223	Kddxh	Chorzów	1950	06.11.65	Werbkowice	09.07.71	ZKD Poznań
21007	Ftxh	Ostrowiec	1930	29.06.64	Werbkowice	1971	Werbkowice, przeb. z 29.06.64 Kdxh
21027	Ftxh	Ostrowiec	1929	29.06.64	Werbkowice	1971	Karczmiska; przeb z Kdxh 29.06.64
21124	S	Ostrowiec	1930	29.06.64	Werbkowice	1971	Karczmiska; przeb z Kdxh 29.06.64
21136	Kdxh	Ostrowiec	1943	06.11.65	Werbkowice	10.05.70	Werbkowice; przeb. na brankard
34698	Wddxh	Chorzów	1953	06.11.65	Jędrzejów	1966	Werbkowice
34703	Wddxh	Chorzów	1952	1965	Jędrzejów	16.09.71	Werbkowice
34707	Wddxh	Chorzów	1952	1965	Jędrzejów	1966	Karczmiska
34714	Wddxh	Chorzów	1952	1965	Jędrzejów	16.09.71	Werbkowice
34759	Wddx	Chorzów	1952	1965	Jędrzejów	16.08.71	Werbkowice
34540	Wddx	Chorzów	1951	1965	Jędrzejów	23.11.65	ZKD Warszawa
34679	Wddxh	Chorzów	1952	1965	Jędrzejów	16.08.71	Werbkowice
34680	Wddxh	Chorzów	1952	1965	Jędrzejów	1970	Werbkowice
34683	Wddxh	Chorzów	1952	1965	Jędrzejów	11.07.66	Starachowice
34695	Wdxh	Chorzów	1952	06.11.65	Jędrzejów	11.07.66	Starachowice
34450	Wdxh	Chorzów	1951	06.11.65	Jędrzejów	16.09.71	Werbkowice
34207	Wdx	Chorzów	1950	06.11.65	Jędrzejów	1966	Karczmiska
34024	Wddx	Chorzów	1950	06.11.65	Jędrzejów	23.11.65	ZKD Warszawa
34048	Wddx	Chorzów	1950	06.11.65	Jędrzejów	1966	Karczmiska
26244	Wdx	Ostrowiec	1929	06.11.65	Jędrzejów	23.11.65	ZKD Warszawa
36361	Wddxh	Świdnica	1960	06.11.65	Jędrzejów	16.09.71	Werbkowice
35248	Wdx	Chorzów	1955	06.11.65	Jędrzejów	20.09.71	Werbkowice
35263	Wddxh	Chorzów	1955	06.11.65	Jędrzejów	23.11.65	ZKD Warszawa
35229	Wddx	Chorzów	1951	06.11.65	Jędrzejów	10.11.71	Werbkowice
35235	Wdx	Chorzów	1955	06.11.65	Jędrzejów	1966	Karczmiska
35240	Wdx	Chorzów	1955	06.11.65	Jędrzejów	1966	Karczmiska
35245	Wddxh	Chorzów	1955	06.11.65	Jędrzejów	1969	Jędrzejów
34981	Wddxh	Chorzów	1953	06.11.65	Jędrzejów	10.09.71	Werbkowice
43771	Wddx	Chorzów	1952	06.11.65	Jędrzejów	16.09.71	Werbkowice
34795	Wddx	Chorzów	1953	06.11.65	Jędrzejów	1966	Werbkowice
34808	Wddxh	Chorzów	1952	06.11.65	Jędrzejów	1966	Karczmiska

34832	Wddxh	Chorzów	1952	06.11.65	Jędrzejów	1966	Starachowice
26107	Wdx	Steinfurt Königsberg	1913	1969	Werbkowice	+23.12.71	
26106	Wdx	Steinfurt Königsberg	1924	?	Werbkowice	09.06.71	ZKD Poznań
26106	Wdx	Steinfurt Königsberg	1924	?	Werbkowice	09.06.71	ZKD Poznań
26114	Wdx	Steinfurt Königsberg	1925	?	Werbkowice	09.06.71	ZKD Poznań
26115	Wdx	Steinfurt Königsberg	1931	1969	Werbkowice	+23.12.70	-
26119	Wdx	Steinfurt Königsberg	1913	?	Werbkowice	+23.12.70	-
26120	Wdx	Steinfurt Königsberg	1913	1969	Werbkowice	09.06.71	?
26298	Wdx	Steinfurt Königsberg	1913	?	Werbkowice	09.06.71	ZKD Poznań
26093	Wdx	Steinfurt Königsberg	1913	?	Werbkowice	09.06.72	ZKD Poznań
26042	Wdxh	?	1942	1969	Werbkowice	09.06.71	ZKD Poznań
35112	Wddxh	Chorzów	1954	06.11.65	Werbkowice	1976?	Jędrzejów
27684	Px	Ostrowiec	1920	26.02.66	Jędrzejów	1968	Przeworsk
37050	Pddxh	Świdnica	1960	06.11.65	Jędrzejów	30.04.66	Jędrzejów
37075	Pddxh	Świdnica	1960	06.11.65	Jędrzejów	1966	Jędrzejów
37003	Pddxh	Huta Nowotki	1956	06.11.65	Werbkowice	1971	Werbkowice
37004	Pddxh	Huta Nowotki	1956	06.11.65	Werbkowice	1971	Werbkowice
37008	Pddxh	Huta Nowotki	1956	06.11.65	Werbkowice	18.03.71	Jędrzejów
37012	Pddxh	Huta Nowotki	1956	06.11.65	Werbkowice	1971	Przeworsk
37018	Pddxh	Huta Nowotki	1956	06.11.65	Werbkowice	1971	Werbkowice
28207	Pdxh	Ostrowiec	1929	?	Werbkowice	16.09.71	Werbkowice
37604	Sl	Chorzów	1953	1965	Karczmiska	1971	Karczmiska
37603	Sl	Chorzów	1953	1965	Karczmiska	1971	Karczmiska
77012	Kx	Chorzów	1947	01.01.63	?	10.08.64	ZKD Warszawa
77203	Kx	Chorzów	1945	01.01.63	?	10.08.64	ZKD Warszawa
5122	Zt4x	Lilpop	1920	01.01.63	inwentaryzacja	+12.05.67	-

English Summary

The book describes the history of the former narrow gauge railway lines in eastern Poland, in the region of Biłgoraj and Zwierzyniec. South of Lublin are the vast forests of the hilly Roztocze region. In 1907 the landlord Zamoyski built an industrial 750mm gauge line from his sugar factory at Klemensów (Szczebrzeszyn) east to the outskirts of Zamość and later south from Klemensów to Zwierzyniec. In 1912 it was extended further south to Gorecko. The line was used mainly to carry sugar beet and timber. Much work had to be carried out to overcome the rocky terrain north of Zwierzyniec as well as the Wieprz river and marshes on the southern section. Due to Russian military requirements the line was not linked to any standard or broad gauge lines, while all bridges were of timber construction.

In the early stages of the First World War the Russian army built a field railway of the same gauge, starting from Chełm (north of Zamość), which joined Zamoyski's line at Płoskie, near Zamość. In December 1914 the Russians extended the earlier line from Zwierzyniec west to Biłgoraj. This military line was opened to public use from January 1915, but its life was very short; in July 1915 the German and Austrian armies attacked and occupied the region. The fleeing Russians dismantled the railways and took the track and rolling stock east.

In 1916 the Austrians decided to build a new line using part of the old trackbed. This time they chose 600 mm gauge and the new line started at Zwierzyniec (where it had an interchange with the newly built standard gauge line) and led to Biłgoraj. The sheds and small workshops were located at Zwierzyniec station (today called Zwierzyniec Towarowy), located some 2km south of Zwierzyniec village. The purpose of this "Förderbahn" (Supply Railway) was to transport timber and military supplies from the forests and villages of the Biłgoraj area. At Zwierzyniec there was a balloon (reversing) loop and at Biłgoraj a triangle used to turn locomotives. The Austrian army railway unit "Lokomotivefeldbahn Nr 1" arranged the stations and traffic. They also built several sidings (the largest to a sawmill at Wola Mała). In 1916 public passenger traffic commenced on a limited scale.

In 1918 the Polish State Railway PKP took over the line and started regular public operations – passenger and freight. In the early twenties a 2 km long siding was built from the narrow gauge station to Zamoyski's factories in Zwierzyniec village (Zwierzyniec Wieś); from the mid 30s until the mid 50s it was also used for public passenger traffic. Sidings were also built to Ignatówka (north of Hedwiżyn) and Dąbrowica (west of Biłgoraj) but no further details are known. The locomotives used in this period were predominantly HF 0-8-0Ts ("Feldbahn" or "Brigadeloks"), the passenger coaches were ex-military or of Polish production and wagons were also mainly ex-military. The Second World War caused much destruction – starting with the German assault in 1939, followed by partisan attacks in the early 40s and finally systematic demolition by the retreating Nazis in 1944 (Zwierzyniec station was destroyed – not only the shed but even the tracks were blown up every 5 metres).

After the war the line was restored to working order and again served the local communities. The 50s and 60s were the heyday of the railway – traffic was very heavy (especially freight). All materials for reconstruction of war-damaged Biłgoraj were transported by the narrow gauge. Later the forceful but successful post-war industrialisation was the driver for the heavy traffic. At Hedwiżyn and Biłgoraj numerous short sidings were built. Meanwhile another 600 mm gauge line was built by the State Forestry eastward from Lipa and in 1952 it reached Biłgoraj, joining with the PKP line. The total length of the linked lines was some 83 km. The anticipated heavy traffic on the linked lines was however not realised; the link was seldom used and ceased to exist by 1963. PKP relocated locomotives quite frequently, sometimes for no obvious reason but usually to get them repaired. Locomotive shortages were overcome by constant relocations, sometimes for short periods to deal with seasonal fluctuations in traffic.

Since the 30s the Biłgoraj town authorities had been trying to persuade PKP to build a standard gauge line in place of the narrow gauge. These attempts fell on deaf ears, but in 1964 PKP decided to regauge the line to 750 mm as part of the "standardization" process in the country – to eliminate the "non-standard" and inefficient gauges. The wider gauge enabled use of "transporters" – special vehicles to carry standard gauge freight wagons – thus avoiding costly and time-consuming transhipment at Zwierzyniec. For the regauged railway "new" rolling stock was brought to Zwierzyniec. The standard Polish-built Px29 and Px48 0-8-0 tender locomotives became common on the line. Moreover three railcars operated the passenger trains, which led to the journey time being reduced by a third. In time, however, the railcars were sent to other lines as the freight traffic was so heavy that mixed passenger/freight trains became the norm. With the 1964 regauging the balloon loop at Zwierzyniec was replaced by a triangle while the triangle at Biłgoraj was replaced by a turntable.

Continuing pressure from the Biłgoraj authorities finally led to the decision by the Ministry of Transport to build a standard gauge line from Zwierzyniec to Biłgoraj (and further west to join an existing line at Stalowa Wola). This spelt the end of the narrow gauge line and in 1971 it was closed and dismantled. Now the standard gauge line (together with the 1520 mm broad gauge Steel and Sulphur line linking Krakow with the former Soviet Union) is used to transport freight and passengers between Zwierzyniec and Biłgoraj.